L'Aventure
Récit d'un éditeur

Jacques Fortin

L'Aventure
Récit d'un éditeur

ÉDITIONS QUÉBEC AMÉRIQUE

329, RUE DE LA COMMUNE OUEST, 3ᴱ ÉTAGE, MONTRÉAL (QUÉBEC) H2Y 2E1 (514) 499-3000

Données de catalogage avant publication (Canada)

Fortin, Jacques
   L'Aventure
   ISBN 2-7644-0064-0

   I. Titre. II. Collection.

PS8569.A32L56 2000   C843'.6   C00-941132-1
PS9569.A32L56 2000
PQ3919.2.J32L56 2000

Les Éditions Québec Amérique bénéficient du programme de subvention globale du Conseil des Arts du Canada. Elles tiennent également à remercier la SODEC pour son appui financier.

Le Conseil des Arts | The Canada Council
du Canada | for the Arts

Nous reconnaissons l'aide financière du gouvernement du Canada par l'entremise du Programme d'aide au développement de l'industrie de l'édition (PADIÉ) pour nos activités d'édition.

©2000 ÉDITIONS QUÉBEC AMÉRIQUE INC.
www.quebec-amerique.com

Dépôt légal : 4e trimestre 2000
Bibliothèque nationale du Québec
Bibliothèque nationale du Canada

Révision linguistique : Claude Frappier
Mise en pages : André Vallée, Andréa Joseph

À mes enfants, François et Caroline.
À mes petits-enfants, Grégory et Thomas.
À mes auteurs, à mes employés.
À tous ceux et celles qui ont partagé
avec moi cette singulière aventure.

PRÉFACE

par Jacques Allard

Elle est fascinante, cette aventure vécue sous le signe du sextant. Née du projet d'un pédagogue, elle devint progressivement celle d'un éditeur d'essais et de romans, puis d'ouvrages de référence qui allaient déboucher sur la scène mondiale des multimédias : 25 ans d'une passion vouée aux mots et images du monde contemporain. Voilà, en quelques lignes, la course de Jacques Fortin, l'un des grands éditeurs du Canada et de la francophonie.

Comment devait-il célébrer les centaines de livres qu'il a fait naître depuis 1974 ? En écrivant le sien propre ! Au fond, pensez-vous, le rêve de tout éditeur ne serait-il pas d'être écrivain ? Ne lui posez surtout pas cette question, il sortira de sa réserve naturelle et récusera vivement toute prétention de ce genre. Mais lisez et vous verrez. Il aime plus que tout les bonnes histoires et il prend plaisir à les raconter. Il a évidemment hésité devant la suggestion qui lui a été faite d'écrire, mais, à la réflexion, il s'est rendu compte que son histoire et celle de sa maison d'édition étaient plutôt singulières, du moins dans le paysage québécois et canadien.

À qui relater les faits parlants, petits et grands, du chemin parcouru ? À ses proches, bien sûr, à ses écrivains et à son personnel, mais aussi aux collègues entrepreneurs et gens d'affaires, aux journalistes et autres personnes des médias. Finalement à tous les intervenants, culturels ou économiques, concernés par l'émergence et le développement d'une maison d'édition. Cela va de soi. Mais vous verrez qu'il veut peut-être surtout parler à ses enfants et petits-enfants. Parler de l'avenir à l'avenir, pour la continuité.

Il le fait à sa manière habituelle : directe. On le trouvera peut-être candide dans certaines pages, mais il a toujours préféré la simplicité aux accommodements trop mondains. Et particulièrement sur son terrain éditorial, vous le verrez avancer visière levée contre certains opportunismes ou encore pour défendre une littérature souvent mal reconnue par l'institution médiatique ou même littéraire. Il ne prend pas toujours garde à son image. Il n'a vraiment de faiblesses que pour les écrivains qu'il publie.

L'auteur tenait beaucoup à faire le point sur les enjeux actuels de l'édition au Québec. Des travaux récents (par Jacques Michon et ses collègues) le montrent : elle est encore assez jeune, cette structure éditoriale, n'émergeant vraiment que dans les années trente et ne devenant peu à peu autonome qu'à partir de la décennie suivante. Mais était-elle devenue pour autant professionnelle ? L'auteur de *L'Aventure* démontre ici que, vers 1975, même le contrat passé entre l'éditeur et l'auteur n'était pas encore au point ! Que les éditeurs rechignaient parfois à verser leur dû aux écrivains, tout en encaissant les subventions ; ou que même leur association officielle avait de curieuses pratiques.

Et d'hier on passera aisément à demain. En ce moment de mutation que connaissent tous les supports du savoir, il devient intéressant de voir comment certains sont déjà engagés dans ce clair-obscur qui mène à la nouvelle éditique. Jacques Fortin avait donc non seulement à raconter mais aussi à montrer concrètement comment un éditeur de livres devient progressivement un éditeur multimédiatique, proposant le savoir et (bientôt) la fiction sur un support enrichi où se combinent avec l'imprimé toutes les ressources de l'image et du son.

Sur l'histoire de Québec Amérique, de ses écrivains et de son fondateur, vous apprendrez donc beaucoup. De savoureuses anecdotes mais aussi des faits parfois étonnants. Vous trouverez même quelques révélations sur des événements publics et privés vécus par l'auteur. Et vous sourirez souvent, tant le ton du conteur reste humoristique tout en ne perdant pas le droit fil de son propos : vous dire de quelles intuitions, de quelles circonstances est née puis s'est développée la maison du sextant. Car cet entrepreneur s'est plutôt conduit comme un artiste et un artisan que comme un stratège des affaires. Il vous parlera donc sans flaflas, souvent sous le coup de l'émotion qu'il revit et de la réflexion qui suit. Voilà comment un éditeur rejoint ses auteurs tant admirés.

REMERCIEMENTS

Je tiens à remercier pour leur aide précieuse et pour leurs conseils généreux Jacques Allard, Yves Beauchemin et Claude Frappier. J'aimerais aussi exprimer toute ma reconnaissance à l'équipe de Québec Amérique Littérature pour leur magnifique travail et leur patience.

Introduction

J'ai beaucoup hésité avant d'accepter de raconter l'histoire de Québec Amérique, cette maison d'édition que j'ai fondée il y a 25 ans. D'abord où trouver le temps pour me livrer à un tel exercice ? Mon métier d'éditeur est devenu tellement diversifié et exigeant. Je n'avais jamais pensé écrire un livre, un jour, car je savais que je ne pourrais pas répondre tout à fait aux exigences littéraires. Mon directeur, Jacques Allard, insista néanmoins, jugeant que mon témoignage pouvait enrichir l'histoire de l'édition au Québec, du moins être utile aux chercheurs qui s'y intéressent. Enfin, j'ai acquiescé en pensant surtout à mes enfants, à mes deux petits-fils, à mes auteurs, à mes employés, à mes collaborateurs, à tous ceux et celles qui ont partagé avec moi cette aventure singulière. C'est donc sans prétention que je retrace ici mon aventure, devenue au cours des années une affaire de famille. Je l'ai fait franchement et avec la plus grande minutie possible, racontant l'histoire que j'ai vécue tout en espérant que ma sincérité ne blesse personne.

Entre le manuscrit de l'auteur et le livre que tient le lecteur, il y a l'éditeur. Métier étrange, mais combien fascinant, où tout, sans cesse, doit bouger, se développer, se moderniser et s'adapter pour que rien ne change de l'essentiel : le plaisir du lecteur. Mais cet « objet modeste par qui tout peut arriver à l'âme » comme disait Jean-Paul Sartre, il faut le susciter, le fabriquer, le diffuser, le distribuer, le faire venir au monde pour le plus grand nombre possible.

Dans ce beau métier où l'on est toujours guidé par la passion, ce sont de nouvelles technologies, lourdes et complexes, qu'il faut maintenant maîtriser. Ce sont aussi un marché et de nouvelles habitudes de consommation qu'il faut apprivoiser dans l'alchimie de multiples savoir-faire. Métier étrange, en effet, où l'émotion, l'incertitude, l'angoisse, l'exaltation et l'ambition côtoient le pragmatisme que commande la saine gestion d'une entreprise.

Dans la rencontre d'un auteur, il y aura toujours – et il est bien qu'il en soit ainsi – une part d'irrationnel. Car l'éditeur est un idéaliste. Il rêve de découvrir l'écrivain qui lui inventera des récits envoûtants dans un style incomparable. Celui qui saura jouer avec des niveaux de réalité, emmêlant le réel et le fantastique, l'humour et l'émotion, les bruits et les odeurs. Mais surtout, il cherche l'écrivain qui parviendra à maintenir l'intérêt du lecteur. Voilà ce qui le motive à promouvoir les grands textes et ce qui explique son attachement et sa fidélité à la littérature. Car la découverte d'un talent, son mûrissement et sa valorisation, n'est-ce pas cela la finalité même de son métier ?

Dans ce récit, j'ai suivi l'ordre chronologique de la vie de Québec Amérique étroitement reliée aussi à mon cheminement personnel. Par périodes de cinq ans, je retrace ainsi les étapes que j'ai appelées : 1- Les commencements ; 2- Le grand décollage ; 3- Des succès inégalés ; 4- Cap sur le monde ; et 5- Au temps du multimédia et de l'Internet, le livre reste indispensable. Comme éditeur, j'ai beaucoup rêvé en 25 ans et plusieurs de mes rêves se sont réalisés. À vous de voir et d'évaluer ce qui suit.

Jacques Fortin

Première partie: 1974-1979

Les commencements

LE PROFESSEUR ET LE JOURNALISTE

Je suis né à Saint-Romain, petit village fondé en 1865 par des colons venus de Beauceville. Situées aux limites de la Beauce dans la belle région du lac Mégantic, les terres de Saint-Romain ont été défrichées puis cultivées par des familles à qui l'on avait octroyé des lots. Mes ancêtres faisaient partie de ces colons qui avaient accepté le défi de créer une nouvelle paroisse. Les Fortin de ma lignée sont les descendants de Julien Fortin, né le 9 février 1621 à Notre-Dame-de-Vair, aujourd'hui connue sous le nom de Saint-Cosme-de-Vair. Recruté par un ami de Samuel de Champlain, en 1650, il quitta son village du département de l'Eure en Normandie, pour s'établir au Québec. Il fut durant cinq ans seigneur de Beaupré, puis il vendit sa seigneurie à monseigneur François de Laval. Il exerça ensuite le métier de boucher et de cultivateur à Cap-Tourmente, en la paroisse de Saint-Joachim, où il mourut en septembre 1687. Ses descendants sont nombreux et l'on en retrouve partout, particulièrement sur la Côte-du-Sud (L'Islet) et en Beauce. Plusieurs membres des familles Fortin de chez nous ont émigré aux États-Unis à la fin du XIXe siècle, avec bien d'autres familles, en quête de travail.

Mon père est venu au monde dans le Premier Rang de Saint-Romain, en 1900, dans une maison pièces sur pièces bâtie par son grand-père Octave et son père Edmond Fortin. Cette maison, maintenant plus que centenaire, a vu naître plusieurs générations de notre famille. C'est dans ses murs toujours debout que je suis né et que j'ai vécu ma petite enfance. Ma mère a mis 15 enfants au monde dont 4 sont décédés quelques jours après leur naissance. Je suis le douzième de cette grande famille. Quatre de mes frères ont émigré aux États-Unis au cours des années cinquante et soixante. Ils sont devenus des Américains comme leurs enfants et n'ont maintenant pratiquement plus aucun lien avec la culture française. J'ai toujours été considéré comme le cadet de la famille et mes parents, qui n'avaient pas d'argent pour faire instruire mes frères et sœurs plus âgés, m'ont fortement encouragé à étudier malgré tout, espérant peut-être que je deviendrais un frère ou un curé. Après mes études primaires, ils m'ont inscrit au Collège des frères maristes de Beauceville. J'y suis resté trois ans. Par la suite, j'ai étudié au séminaire de Saint-Victor-de-Beauce où j'ai continué mon cours classique jusqu'en classe de philosophie.

Mon père cultivateur avait fait d'énormes sacrifices pour me payer des études et il avait même dû emprunter pour ce faire. C'est pourquoi j'ai un jour pris la décision de laisser tomber les deux années de philosophie pour m'inscrire en pédagogie et entrer le plus tôt possible sur le marché du travail. Après deux années d'études, j'obtins mon brevet d'enseignement en 1960. Pendant mon enfance et durant mes études, j'ai passé de nombreuses heures à faire de la musique et à pratiquer mes instruments favoris : l'accordéon, la guitare, le piano, l'orgue et la trompette. Cette dernière fut le seul instrument que j'ai appris selon les règles de l'art et que je maîtrisais bien. Pendant trois ans, j'ai pratiqué la trompette jusqu'à quatre heures par jour, sans jamais manquer une occasion de me joindre à une fanfare ou un orchestre populaire. Plus tard, j'ai joué de l'orgue dans des bars où cet instrument était très apprécié au cours des années soixante. J'étais un amateur de jazz et j'aurais aimé faire carrière dans la musique, mais au bout du compte, j'ai estimé que l'avenir y était trop incertain.

Je suis donc devenu, à ma première année d'enseignement, titulaire d'une classe où je devais enseigner presque toutes les matières. En même temps, je suivais des cours à l'Université Laval, le samedi durant l'année scolaire et pendant les vacances d'été, afin de compléter mon baccalauréat ès arts. Mes trois dernières années d'enseignement, je les ai passées à Saint-Georges-de-Beauce. En 1965, trouvant l'enseignement monotone et jugeant que l'action me manquait, j'entrepris de faire en même temps de la pige pour différents journaux, sans me douter que cette activité allait entraîner la fin de ma carrière d'enseignant commencée en 1960.

Un jour, j'ai fait un reportage qui a fait la une des quotidiens du Québec. J'avais découvert que la Commission scolaire régionale de La Chaudière avait payé des poignées de porte 29 $ chacune. Mon enquête m'avait permis d'obtenir leur numéro de série pour découvrir que le prix de détail dans une quincaillerie était de moins de 5 $. Le jour même de la parution de cette nouvelle dans les journaux, le président de la commission scolaire convoqua une assemblée spéciale pour décider de mon sort. Et quand le lendemain je me présentai comme d'habitude à l'école, le secrétaire me remit une lettre qui me signifiait mon congédiement sur-le-champ, en vertu de l'article 222, pour insubordination, inconduite et immoralité. La réaction du directeur général, le frère Jacques, fut immédiate : il exprima à la direction de la commission scolaire son indignation, soulignant que les raisons invoquées, en plus d'être douteuses et injustifiées, ne pouvaient concerner mon enseignement qu'il trouvait irréprochable. Par la suite, mes collègues professeurs adressèrent au président de la commission scolaire une pétition pour faire connaître leur désaccord et demander ma réintégration immédiate.

Nous étions à la fin d'avril 1965 et je me voyais privé de salaire, sans possibilité de recourir à l'assurance-chômage. Mon épouse et moi avons dû, avec notre fils de dix mois, quitter l'appartement que nous habitions. Il fallait réduire les dépenses et tâcher de joindre les deux bouts avec les maigres revenus de mon activité journalistique. Nous avons donc déménagé à une vingtaine de kilomètres de Saint-Georges, dans un chalet que j'avais acquis un an plus tôt avec mon beau-frère. Mon épouse Gisèle se rappelle surtout des souris qui occupaient l'endroit avant nous. Nous vivions dans des conditions plus que modestes, sans grandes commodités et sans téléphone. Comme si cela ne suffisait pas, le 22 juin, jour anniversaire de notre mariage, mes beaux-frères Fernand et Maurice se sont présentés tôt le matin au chalet pour m'annoncer le décès de mon père. J'étais atterré. Il aurait eu 65 ans le jour de ses funérailles.

Il va sans dire que les journaux ont accordé une grande importance aux événements entourant mon congédiement. On soulignait le fait que la commission scolaire avait agi par vengeance et voulait ainsi bâillonner ses enseignants. Je me suis donc retrouvé dans une situation financière difficile jusqu'en octobre de la même année quand le litige connut un dénouement en ma faveur. Maître Robert Cliche, qui avait suivi par les journaux mes démêlés avec la commission scolaire, m'avait appelé pour me dire qu'il trouvait ce geste inadmissible et qu'il prenait la cause sans rien me demander en retour. Quelques mois plus tard, il concluait un règlement hors cour : la commission scolaire devait me payer les salaires perdus pendant la période, me verser 5000 $ en dommages, me faire publiquement des excuses et me garantir un contrat d'un an. On était en octobre 1965. J'allai enseigner la géographie au secondaire 1 et 2 dans différentes écoles de la Régionale. Mais j'avais perdu tout intérêt pour l'enseignement, aussi je pris la décision, à l'été de 1966, de quitter le milieu de l'éducation pour le journalisme.

UN PÉDAGOGUE CHEZ LAROUSSE ET NATHAN

Malheureusement, après quelques semaines à mon poste de correspondant à plein temps à Saint-Georges-de-Beauce, une grève se déclara au quotidien *La Tribune*. À nouveau privé de revenus, je répondis à une offre d'emploi des Éditions Françaises Larousse. J'y obtins le poste de délégué pédagogique ; à ce titre, je devais faire la tournée des maisons d'enseignement et participer à des journées pédagogiques pour expliquer aux professeurs comment utiliser les différents dictionnaires Larousse. C'est en pratiquant ce métier de vendeur déguisé en pédagogue que j'ai pu apprécier toute la richesse de ces instruments de référence, du *Petit Larousse* au *Dictionnaire étymologique*, en passant par le *Dictionnaire analogique* et le *Dictionnaire du français contemporain*. J'ai fait ce métier jusqu'en 1972. Pendant cinq ans, je me suis passionné pour ce genre d'ouvrages. J'ai même envoyé à Larousse une note pour dire qu'il manquait, à sa gamme de dictionnaires, un ouvrage où l'image

DENYSE BOURNEUF
ANDRÉ PARÉ

PÉDAGOGIE ET LECTURE

guide d'animation
d'un coin de lecture
selon les principes
d'une pédagogie ouverte

ÉDITIONS QUÉBEC|AMÉRIQUE

serait le point de départ pour aller au mot. Je suggérais à l'éditeur, qui n'a évidemment pas retenu mon avis, de réaliser un dictionnaire visuel. J'ignorais que j'allais concrétiser ce projet moi-même 15 ans plus tard.

Au printemps de 1972, le patron des Éditions France-Québec / Fernand Nathan, Raymond Carignan, me proposa le poste de directeur des éditions. Sa société avait pour mission de diffuser et distribuer sur le marché canadien les ouvrages publiés en France par Nathan. Cet éditeur, qui contrôlait les actifs de France-Québec, avait à son catalogue beaucoup de manuels scolaires, en particulier pour l'enseignement du français. Mais comme ces manuels n'étaient pas adaptés au marché du Québec, il n'était pas facile de les vendre. Mon rôle, comme directeur des éditions, consistait donc à préparer avec des enseignants du Québec l'adaptation de manuels conçus au départ pour les étudiants français et à les rendre conformes aux programmes de notre ministère de l'Éducation. Les grammaires d'Henri Mitterand, au secondaire, et de Pierre Legrand, au primaire, connurent un bon succès.

Au cours des deux années passées à ce poste, je suivis de près les tendances et l'évolution de la pédagogie au Québec. Au cours d'un congrès, j'ai rencontré un jour Denise Bourneuf et André Paré, deux professeurs en formation des maîtres à l'École normale de l'Université Laval. Ils m'ont présenté un manuscrit intitulé *Pédagogie et Lecture – animation d'un coin de lecture en classe*. L'originalité de leur travail m'impressionna. C'était essentiellement un guide destiné aux professeurs du primaire, mais qui s'inscrivait bien dans le courant de l'école active. J'étais très désireux de publier ce document, sachant qu'il était très attendu. Les auteurs, bien connus dans le milieu, étaient considérés à l'avant-garde d'une nouvelle approche pédagogique. Il fallait donc que je présente le projet à Nathan à Paris et que j'obtienne leur approbation avant de le publier.

Malgré tous les arguments invoqués, l'enthousiasme de mon équipe et la certitude que l'opération était rentable, la direction de Nathan refusa le projet. Très déçu de cette réponse, je décidai sur un coup de tête de le publier moi-même, sans réfléchir et sans avoir pris le temps d'évaluer le risque financier d'un tel geste pour moi et ma famille. J'en fis part, le jour même, à Raymond Carignan, mon patron, qui me conseilla de bien penser aux conséquences de ma décision. Du même souffle il ajouta que si j'allais de l'avant avec mon projet de créer une nouvelle maison d'édition, je pouvais compter sur son soutien dans la mesure du possible. Nous étions en février 1974 et je ne savais réellement pas par où commencer. En fait, je n'avais pas du tout l'ambition de devenir éditeur, ni de démarrer une nouvelle entreprise. Je n'avais ni plan d'affaires, ni programme éditorial, rien d'autre qu'un projet : publier ce manuscrit auquel je croyais.

LA NAISSANCE DE QUÉBEC AMÉRIQUE

Dans les jours qui ont suivi, j'ai rencontré mon neveu, Pierre Jacques, avocat, et Raymond Beaudoin, un ami, propriétaire des Messageries nationales du livre et de quelques librairies. Raymond était un homme d'affaires prudent et de bon conseil. Tous deux ont accepté d'investir, comme moi, 2 500 $ chacun dans le projet. Quelques jours plus tard, Raymond Carignan se joignit à nous, le faisant sous le nom de sa femme, Paule. Comme je ne connaissais pas grand-chose aux affaires et aux finances, Pierre Jacques se chargea des démarches d'incorporation et Raymond Beaudoin prépara un premier budget d'opération. Je fis donc part aux auteurs du refus de Nathan et de ma décision de publier leur manuscrit dans une nouvelle maison d'édition. Comme ils savaient que j'accordais beaucoup d'importance à leur projet, ils n'ont pas hésité à me donner leur accord. Il restait à trouver un nom à ma maison.

Pierre Jacques qui préparait les documents pour l'incorporation me demanda de choisir trois noms, par ordre de préférence, pour désigner la nouvelle maison. Sur le moment, aucun nom ne me vint à l'esprit. C'est alors que j'ai eu l'idée de consulter le répertoire de l'édition française. Plusieurs maisons d'édition portaient le nom de leur fondateur. Pour moi, il n'en était pas question. Tout à coup, après avoir rejeté toutes sortes de noms (genre France

Empire!), le nom de Québec Amérique m'est venu spontanément à l'esprit, peut-être sous l'influence du nom de mon employeur, France-Québec. Je ne me souviens plus des deux autres noms qu'il a fallu proposer au cas où le premier aurait été refusé.

Les formalités complétées, l'incorporation des Éditions Québec Amérique eut lieu en mai 1974. J'étais toujours chez France-Québec. Raymond Carignan accepta de prolonger mon emploi avec plein salaire jusqu'au 1er janvier 1975. À cette date, je devais remettre la voiture fournie et solliciter l'assurance-chômage. De mai à décembre 1974, je préparai donc ma sortie de France-Québec pendant que mes auteurs Bourneuf et Paré peaufinaient leur manuscrit. Je les avais aussi convaincus de préparer en même temps des fiches d'animation, à partir de 40 albums, car je voulais avoir quelque chose de substantiel à proposer. Le livre du maître serait fourni avec le *Coin de lecture* (un ensemble de 20 albums, soigneusement choisis par les auteurs pour passer de la théorie à la pratique, accompagnés d'une quinzaine de fiches par titre). J'ai ainsi préparé deux boîtes : *Coin de lecture 1* et *Coin de lecture 2* avec un prix de vente de 150 $ et de 170 $ respectivement.

Le premier livre que je publiai fut *Le Brunch*, de Pauline Durand et Yolande Languirand, qui parut au début de décembre 1974. Ce petit livre de recettes, lancé au cours d'une émission de télévision, était une idée de Raymond Carignan qui recevait à ses bureaux toutes sortes de manuscrits qui ne lui convenaient pas. Distribué par France-Québec, le livre connut un succès mitigé. Suivirent le *Nouveau Guide du chien*, *Le Cheval à toutes les sauces* et un ouvrage sur les soucoupes volantes. Tous des manuscrits que me refilait Raymond Carignan. Cependant mon intérêt demeurait centré sur l'innovation pédagogique de Bourneuf et de Paré qui parut finalement au printemps 1975. J'avais commencé la promotion des *Coins de lecture* auprès des commissions scolaires dès février. N'ayant plus d'automobile fournie et pas davantage les moyens d'en acheter une, j'ai dû emprunter celle de mon épouse, une petite Toyota qui était dans un état plutôt inquiétant. Les ailes menaçaient à tout moment de lâcher! Mais des ailes, j'en avais moi-même ! La voiture a donc couvert encore plusieurs milliers de kilomètres.

Au cours des mois de mai et juin, je réunis donc mon épouse Gisèle, mon fils François, alors âgé de 11 ans, et la famille de Raymond Beaudoin, pour préparer les boîtes des *Coins de lecture*. Toute l'opération (rassembler les fiches et monter les modules) était menée dans le sous-sol de ma résidence ou dans le garage de mon ami Beaudoin. France-Québec en assura, par la suite, la diffusion et la distribution auprès des commissions scolaires. *Le Coin de lecture* connut un bon succès, faisant une carrière de près de dix ans. Quant au guide du maître, *Pédagogie et Lecture*, les droits en furent achetés en France par un concurrent de Nathan, l'École des loisirs, maison spécialisée dans l'album et la littérature jeunesse. Cette affaire, conclue à Francfort en 1978, fut une douce revanche pour moi après le refus de Nathan.

Au cours de l'été 1975, je convoquai une réunion des actionnaires de Québec Amérique pour leur dire que mes prestations d'assurance-chômage ne pouvaient plus suffire, qu'il fallait prévoir me payer un salaire et aussi faire une nouvelle mise de fonds si l'on voulait poursuivre nos activités. Personne ne voulait investir dans Québec Amérique qui, à cette époque, présentait des états financiers peu rassurants. C'était une entreprise aléatoire qui reposait totalement sur moi. Devant un avenir aussi incertain, les partenaires qui m'avaient aidé à créer l'entreprise ont préféré me remettre leurs actions. Ils acceptèrent donc ma proposition de les rembourser (6 400 $) dans les prochains 12 mois. Je leur suis, aujourd'hui, très reconnaissant de m'avoir aidé à démarrer, car sans eux, les choses auraient été beaucoup plus difficiles.

UN BUREAU, UN TÉLÉPHONE ET UN GRAND BLUFF

En août 1975, je n'avais pas une minute à perdre. Maintenant seul, il fallait me trouver un local, un distributeur et au moins un investisseur. Les revenus provenant des cinq livres déjà publiés et des *Coins de lecture* permettaient de couvrir un loyer modeste, la location d'une voiture et quelques frais généraux. Mon choix s'est arrêté sur un appartement de deux pièces au onzième étage d'un édifice situé au 450, rue Sherbrooke Est à Montréal. Ce n'était pas un local commercial, mais le loyer était abordable. J'ai acheté un bureau que j'ai placé dans la salle de séjour et j'ai empilé tout mon inventaire dans la chambre à coucher. Je me rappelle, le jour ou j'ai emménagé, avoir déposé sur mon bureau tout neuf, près du téléphone branché le même jour, les quelques manuscrits que j'avais reçus. La petite cuisine devait servir à l'expédition des services de presse et des commandes. J'avais demandé une ligne personnelle à la compagnie de téléphone, n'ayant pas les moyens de me payer une ligne commerciale.

Les premières semaines, j'ai contacté sans succès quelques personnes pour leur offrir des actions en retour d'un investissement. J'ai aussi rencontré Jean-Pierre Fournier, journaliste connu et excellent traducteur. Je savais qu'il n'avait pas d'argent à investir, mais j'étais intéressé par sa compétence et sa connaissance du milieu. Avec des livres déjà sur le marché et quelques auteurs qui m'avaient fait parvenir leur manuscrit, j'ai réussi à convaincre Jean-Pierre de travailler avec moi à temps partiel. Je m'entendais bien avec lui, c'était un bon vivant et une personne très attachante. Je lui cédai donc 40 pour cent des actions, ce qui ne valait pas grand-chose. Il ne comptait d'ailleurs pas sur cet avantage pour recevoir un jour des dividendes. Jean-Pierre était très indépendant. Habitué à travailler seul, à son propre rythme et aux heures qui lui convenaient, il ne pouvait être un véritable associé dans l'entreprise. C'est pourquoi il me remit les actions quelques mois plus tard pour me permettre de rechercher un associé ayant de l'argent à investir et à risquer.

Sa collaboration me fut très utile le jour où j'entrepris des négociations avec le distributeur Granger Frères, dont le directeur général, Jacques Constantin, était un personnage aux allures aristocratiques qui se disait spécialiste de la distribution. Je tenais à la présence de Jean-Pierre pour présenter notre programme d'éditions, encore bien mince. Jean-Pierre a sans doute impressionné Constantin par son assurance et son enthousiasme pour un manuscrit intitulé *L'Enfer du mont Wright*, qui racontait les pénibles conditions de travail d'un mineur de Fermont. Ce texte boiteux avait été réécrit par Jean-Pierre. Nous avançâmes aussi que des traductions de succès américains étaient prévues pour l'année suivante, de même que quelques coéditions avec la France sur des sujets de l'heure : l'ésotérisme et les médiums, les phénomènes extraordinaires, la parapsychologie.

En réponse, Constantin offrit de distribuer ma production sur une base de consignation. Je lui répondis que j'étais venu pour vendre mes livres, non pour les mettre en consignation. Si j'avais retenu cette formule, je serais allé voir d'autres distributeurs mieux placés que Granger pour ce genre d'opération. Flattant sa vanité, je lui dis que, vu leur expérience et leur grande efficacité, il n'y avait pas de risque pour eux à m'acheter des tirages à compte ferme. Voyant que nous étions sur le point de partir, il nous demanda plus de renseignements sur les livres à venir, tout en consultant ses représentants sur le nombre d'exemplaires qu'ils pourraient vendre. Fournier lui vanta de nouveau les qualités et l'effet médiatique qu'aurait *L'Enfer du mont Wright*. Bref, en sortant de chez Granger, nous avions un contrat nous garantissant l'achat ferme de 5 000 exemplaires de tout ouvrage traduit ou publié en coédition et de 3 000 exemplaires de tout titre québécois, à l'exception de *L'Enfer du mont Wright* dont la commande ferme serait de 5 000.

J'avais rencontré monsieur Constantin à quelques reprises avant cette réunion. J'avais vu aussi deux autres distributeurs dont un m'avait prédit, avec le plus grand sérieux, que je ne passerais pas l'hiver. Cette remarque m'avait piqué au vif et réveillé mon orgueil. La seule solution, pour moi, représentait en même temps tout un défi sur le plan financier : il me fallait vendre mes ouvrages à compte ferme. Seul Granger pouvait m'offrir un tel arrangement. Comme distributeur, il était spécialisé dans la vente de bandes dessinées et autres albums d'éditeurs belges et français, et il bénéficiait d'un réseau de points de vente très important à l'époque. Or

Constantin voulait élargir son champ d'activités, attirer des éditeurs québécois. Je suis donc arrivé au bon moment. Il m'offrit ses services et était près à envisager l'achat ferme de grandes quantités. Le manque d'expérience dans la vente de livres populaires et la grande témérité de Constantin ont donc conduit à ce contrat insensé qui me permit de passer l'hiver et plusieurs saisons encore. Après 18 mois cependant, Granger mit fin unilatéralement à l'entente. Les retours s'étaient accumulés et les invendus encombraient leurs entrepôts. J'aurais pu exiger le respect du contrat, mais je n'en fis rien et pour cause.

Jean-Pierre et moi, au sortir de la réunion initiale, avions eu beaucoup de mal à contenir notre euphorie. Le bluff avait marché au-delà de nos espérances. Nous allâmes dans un bar fêter notre victoire. Dans les semaines qui ont suivi, Jean-Pierre a préparé le manuscrit de *L'Enfer du mont Wright* et la traduction d'un livre de Nick Auf der Maur sur le scandale olympique. Quant à moi, je me suis présenté chez mon banquier pour faire augmenter ma petite marge de crédit et solliciter un prêt personnel, le tout pour me permettre d'aller à la Foire du livre de Francfort, qui se tient toujours la deuxième semaine d'octobre. Avec un tel contrat, il était urgent de trouver des titres !

J'ai donc obtenu un prêt personnel de 2 000 $ de ma banque, mais ce n'était pas tout : il me fallait de l'information. Étant donné que c'était ma première expérience à cette foire de droits, je me suis adressé à J.-Z. Léon Patenaude, alors directeur général du Conseil supérieur du livre dont les bureaux étaient situés dans l'édifice du Club canadien, voisin de l'immeuble où je logeais. Je me suis présenté à lui comme un nouvel éditeur qui connaissait peu de choses au milieu du livre et de l'édition et qui désirait aller à Francfort. Il m'offrit d'emblée son aide et me suggéra de prendre le même avion que lui. Il allait me guider et me conseiller. Ce qu'il fit en m'invitant à devenir membre de l'association des éditeurs.

Pierre Tisseyre, son président, me prodigua aussi ses conseils en me prévenant que si j'y allais pour vendre, je risquais d'être déçu. De toute façon, je n'avais rien à vendre. Je parcourus donc cette immense foire, un peu découragé devant une telle abondance

Catalogue de 1978

de livres. Mais j'ai fini par rencontrer Alain Moreau, éditeur parisien, qui me céda deux titres d'Antony Simpson sur l'histoire secrète d'ITT et les Sept Sœurs, les grandes compagnies pétrolières et le monde qu'elles ont créé. Au bout du compte, j'ai acheté plus de 15 titres en coédition pour donner suite à notre promesse de livrer des ouvrages populaires sur des sujets annoncés. La plupart avaient déjà été publiés en français, par des petits éditeurs qui n'étaient pas distribués au Québec. Il n'y avait donc pas de travail éditorial à faire. Je n'avais qu'à changer quelques pages (la couverture et la page du copyright) et le livre se retrouvait rapidement chez l'imprimeur. J'avais cependant le souci de faire une présentation soignée. C'est pourquoi j'avais confié à une maison de graphistes professionnels le soin de préparer les maquettes des livres. J'étais particulièrement fier de mes ouvrages qui avaient un style très moderne. Le tirage commandé était de 5 100 exemplaires. L'imprimeur en expédiait directement 5 000 chez Granger et le reste à mon bureau. Cela exigeait peu d'efforts et, en cette année 1976, je me retrouvai souvent à Paris, à la recherche d'autres titres. Le rêve prit fin brutalement en janvier 1977. Mon bilan, après l'épisode Granger, montrait des ventes de 341 881 $, un profit de 15 382 $ et une dette à la banque réduite de 14 600 $ à 3 900 $.

AVEC PIERRE VALLIÈRES

Je suis donc reparti à la recherche d'un distributeur, cette fois sous le régime de la consignation avec, dans ma poche, le projet d'un ouvrage percutant de Pierre Vallières sur *L'Exécution de Pierre Laporte*. J'ai obtenu des conditions intéressantes de la maison de distribution Hachette Canada, dirigée alors par Germain Lapierre. On m'a accordé une avance sur les ventes prévues et des conditions de paiement qui m'ont permis de changer de distributeur sans perturber ma trésorerie, tout en finançant ma production. La situation de Québec Amérique, après l'aventure Granger, n'était pas mauvaise. J'ai donc pu engager une secrétaire et une attachée

Gaston Miron

Pierre Vallières

de presse à la pige. Et j'ai déménagé mes bureaux au huitième étage du même édifice, dans les locaux laissés libres par mon comptable, Roger Messier. Des locaux évidemment plus grands qui témoignaient que les choses n'allaient pas si mal.

C'est Gaston Miron qui avait conseillé à Pierre Vallières de me présenter son manuscrit que quelques éditeurs avaient refusé. J'ai d'abord rencontré le poète-éditeur à Montréal, au cours du salon du livre de 1976. Il m'a demandé si j'étais prêt à publier un manuscrit dont les autres éditeurs ne voulaient pas, une histoire qui risquait de provoquer bien des remous. De mon incursion dans le journalisme, j'avais gardé le goût de foncer. Et puis je n'avais rien à perdre. Je lui ai donc dit que je serais ravi de rencontrer Vallières et celui-ci s'est présenté chez moi, quelques semaines plus tard. Dès que les journaux annoncèrent la publication prochaine du livre-choc de Vallières, des coups de fil douteux et des menaces voilées se sont mis à pleuvoir au bureau. Un matin, à mon arrivée, je trouvai une grande enveloppe contenant une trentaine de photos de l'autopsie du corps de Laporte. J'ignorais la provenance de cet envoi et m'empressai de mettre ce colis suspect en lieu sûr. Bien que Vallières ne pût m'éclairer sur cette énigme, je courus le risque de publier une dizaine de photos dans son livre, laissant de côté les plus macabres.

Pour le lancement, le 4 mars 1977, j'ai convoqué la presse dans une salle de l'hôtel Richelieu situé en face du bureau. La veille, les menaces au téléphone à l'endroit de Vallières et de moi-même s'étaient intensifiées. En ce matin du 4 mars, la secrétaire et l'attachée de presse, prises de panique, se sont enfuies du bureau pour ne plus y revenir. J'étais donc seul avec Vallières et rien n'était prêt pour recevoir les journalistes. Mon épouse vint à la rescousse en se chargeant de la réception la journée du lancement et en donnant un coup de main pendant toute la semaine de promotion qui a suivi. Le livre avait été livré chez notre nouveau distributeur une semaine plus tôt afin de se trouver en librairie au moment de la conférence de presse. Néanmoins il fallait rédiger un communiqué. Journaliste expérimenté, Vallières s'installa devant la machine à écrire. Nous étions tous les deux nerveux et inquiets.

Nous nous demandions d'où provenaient toutes ces menaces. Vallières était persuadé que c'était la Gendarmerie royale du Canada (son service du renseignement) qui tentait de nous intimider. De mon côté, je pensais plutôt aux 30 000 exemplaires à distribuer. Après, que pouvait-on nous faire ? J'étais plus préoccupé par la distribution et la vente que par ces menaces de « jambe cassée », d'« accident si vite arrivé ». Peu avant 11 heures, les dossiers de presse et un carton d'exemplaires sous le bras, nous avons pris l'ascenseur et, par prudence, nous sommes passés par le garage afin de sortir du côté est de l'immeuble et de remonter la voie de service de Berri jusqu'à la rue Sherbrooke. Là, quelques journalistes, ayant reconnu Vallières, nous accompagnèrent jusqu'à l'hôtel.

J'avais convenu avec Pierre de ne jamais parler de ces coups de fil de menaces, pour ne pas être accusé de paranoïa. La thèse de Vallières sur l'assassinat de Pierre Laporte et les réactions de certains membres du FLQ firent les manchettes des journaux pendant plusieurs jours. J'accompagnai l'auteur dans sa tournée de promotion. Les choses se sont bien passées dans l'ensemble, sauf à Ottawa. Au cours d'une conférence devant un groupe d'étudiants, un homme en civil se présenta devant Vallières pour lui dire que s'il n'arrêtait pas de parler de complot dans l'affaire Laporte, il avait un moyen très efficace de le faire taire pour toujours. Cet incident a duré l'espace d'un éclair. L'homme a déguerpi si vite que nous nous sommes demandé s'il fallait le prendre au sérieux. Le livre fut le best-seller du printemps 1977 avec 30 000 exemplaires vendus en moins de 30 jours. C'était un livre-événement dont par définition la carrière devait être courte et qui nous a fait vivre des moments intenses. De Pierre Vallières qui publia encore quelques essais politiques avec moi, je garde un bon souvenir. C'était un personnage attachant, complètement conquis par les causes qu'il défendait. Je sais qu'on avait fait de lui un nationaliste dangereux. Quant à moi, je n'ai jamais rencontré un être aussi doux et aussi généreux. Contestataire peut-être, mais dangereux, non ! Il faut lire *Les Nègres blancs d'Amérique* pour comprendre toute la révolte qui l'animait.

LE DOCTEUR SPOCK À MONTRÉAL

J'ai aussi à cette époque coédité un ouvrage en français du célèbre docteur Spock dont le fameux livre, *Comment éduquer votre enfant*, fit le tour du monde, se vendant à 25 millions d'exemplaires. Je croyais pouvoir créer tout un événement en l'invitant au Salon du livre de Montréal en novembre 1977. Entrer en contact avec lui fut d'entrée de jeu assez rocambolesque. À cette époque, ma maîtrise de l'anglais était plutôt quelconque. J'ai tout de même rejoint son éditeur à New York qui m'adressa à son agent. Celui-ci, après plusieurs appels, me fit savoir que le docteur Spock était en vacances pour quelques semaines aux îles Vierges. J'insistai pour obtenir ses coordonnées et je pus enfin parler au fameux médecin qui ignorait jusqu'à l'existence du Québec et qui était tout surpris d'apprendre qu'on y parlait français. Étonné de ma demande, il refusa dans un premier temps, disant qu'il avait toujours décliné les invitations pour des séances de signature. *« My agent should have told you »*, me dit-il. Je ne pouvais discuter longtemps avec lui, mais j'insistai sur le fait que je serais très heureux de le recevoir et que j'acceptais de défrayer tous les frais. *« I'll talk to my wife about it. Could you call me back tomorrow around eleven? »* Je l'appelai à l'heure convenue. Sans doute intrigué et ravi également de l'invitation, il accepta en me demandant si sa conjointe pouvait l'accompagner.

Je m'empressai donc de rédiger un communiqué pour annoncer la venue au Salon du livre de Montréal du médecin le plus célèbre des États-Unis, à cette époque. Et c'est un homme à la fois simple et charmant que j'accueillis. Sa femme, qui connaissait quelques mots de français, semblait heureuse de se retrouver pour quelques jours à Montréal à nos frais. Curieusement, la presse francophone ne couvrit pas la visite du docteur Spock. J'appris quelques jours plus tard qu'on ne m'avait pas cru. Heureusement, les médias anglophones furent nombreux à s'intéresser à lui. Toutefois, l'impact de sa venue sur la vente de la version française de son livre fut presque nul. De toute évidence, j'avais raté mon coup. Ce fut une autre de ces opérations dont les ventes n'ont pas

1977. Le Dr Spock au Salon du livre de Montréal

suffi à couvrir les frais engagés. Cela se produit plus souvent qu'on ne le voudrait.

* * *

Au terme de l'année 1977, j'avais 12 titres dont 2 livres de Vallières et un essai de Denis Monière, *Le Développement des idéologies au Québec*, qui a connu un grand succès en plus d'obtenir le Prix du gouverneur général et le Prix de la Ville de Montréal. Les autres ouvrages publiés le furent à la suite des engagements pris avec des éditeurs français et portaient sur les mêmes sujets que ceux que nous avions promis à Granger.

Les trois premières années de Québec Amérique ont filé à toute allure. Je travaillais de 12 à 15 heures par jour, voulant réussir à tout prix. Je n'avais pas beaucoup le temps de réfléchir, d'élaborer un véritable programme éditorial ou de me questionner sur mon métier. J'étais d'abord un entrepreneur préoccupé de donner à son entreprise des assises financières solides. Cependant, j'étais bien conscient que le choix des ouvrages avait jusque-là été commandé davantage par mon instinct de survie que par mes goûts personnels.

J'ai donc réduit considérablement mes achats de livres étrangers pour me concentrer sur les manuscrits, maintenant plus nombreux, d'auteurs québécois. J'avais aussi confié des traductions à Jean-Pierre Fournier. Il venait rarement au bureau, mais je l'appelais souvent pour lui demander des chapitres traduits ou lui rappeler son retard. Il traduisait des essais publiés au Canada anglais qui étaient admissibles à des subventions du Conseil des Arts du Canada. L'année 1978 marqua un tournant pour ma jeune maison avec l'arrivée de Gilbert LaRocque et la publication d'un livre de René Lévesque. Mais j'ai aussi fait une expérience très pénible avec un romancier que je préfère laisser dans l'anonymat. Je l'appellerai « l'auteur à la chaîne ».

L'AUTEUR À LA CHAÎNE

C'est au cours du salon du livre de novembre 1977 que s'est présenté à mon stand un auteur qui affirmait avoir écrit un roman. Il avait envisagé de le publier lui-même mais, financièrement, il ne pouvait plus continuer. Il sollicita mon aide, me demandant de le publier et me remit son manuscrit, déjà mis en pages. Après l'avoir lu, j'ai communiqué avec lui pour lui dire que des corrections étaient nécessaires. Il m'a répondu qu'il était bien capable de les faire lui-même. C'est surtout pour lui rendre service que j'ai accepté de publier son roman. De son côté, il avait des attentes que j'ignorais et que le succès allait faire surgir.

Après quelques mois et trois tirages, les ventes de son roman de type très populaire avaient atteint les 5 000 exemplaires, ce qui était considérable. Mais monsieur ne croyait pas aux chiffres, ni à l'information que je lui transmettais. Alors, je lui dis : « Écoute, cher ami, je vais te donner une lettre qui autorisera l'imprimeur et le distributeur à te transmettre tous les renseignements pertinents sur ton livre : tirages et rapports de vente auprès des libraires. » « Non, pas la peine, répondit-il, je sais que tous ces gens sont de connivence avec toi. D'après moi, les ventes sont plus près de 50 000 que de 5 000. Donc, c'est 100 000 $ que tu me dois. »

Les efforts que je fis pour le raisonner ne donnèrent rien. Il était persuadé que je le roulais et que son chef-d'œuvre s'était vendu à plusieurs dizaines de milliers d'exemplaires. Complètement paranoïaque, il s'est mis à téléphoner chez moi durant la nuit ou à laisser des messages, disant connaître le nom et l'adresse de l'école que ma fille Caroline, âgée de 8 ans, fréquentait et insinuant qu'il pourrait lui arriver un accident... Il a même fait du piquetage devant le bureau, un jour de juillet sous un soleil de plomb, portant une pancarte disant que j'étais un voleur. Finalement, son audace le poussa à se présenter à mon bureau après cinq heures. J'étais là avec Gilbert LaRocque qui venait de se joindre à moi. Croyant que j'étais seul, le piqueteur entra précipitamment dans mon bureau en faisant tournoyer une chaîne au-dessus de sa tête. Il s'avança vers moi en criant : « Mon c..., tu vas me faire tout de suite un chèque de 100 000 $. »

J'ai tenté de lui faire entendre raison, l'invitant à s'asseoir et à m'écouter. Peine perdue. Il n'écoutait rien. Il était tellement agressif que j'ai dû faire plusieurs fois le tour de mon bureau pour ne pas être atteint. Alors, j'ai parlé très fort pour que LaRocque m'entende. Le maniaque est resté un moment figé, puis il s'est précipité pour fermer la porte de mon bureau. Trop tard, mon nouveau collaborateur avait eu le temps de mettre un pied sur le seuil. Gilbert, un véritable athlète, ceinture noire de judo, agrippa donc le personnage par le cou et l'amena près de la fenêtre, lui disant qu'il avait le choix de sortir par là, c'était plus rapide, ou de prendre l'ascenseur. Je n'arrivais pas à croire à ce qui venait de m'arriver. Plus étonnant encore, cet homme bizarre m'appela vers sept heures le même soir pour me demander pourquoi je n'avais pas communiqué avec la police. Il insista même pour que je le fasse en disant que son arrestation pourrait mousser les ventes de son livre. Quelle affaire ! J'étais bien content d'avoir engagé Gilbert LaRocque ! Mon directeur littéraire était aussi un vrai gaillard ! Mais je l'avais engagé pour d'autres raisons.

LA VENUE DE GILBERT LAROCQUE

Je recevais de plus en plus de manuscrits et comme je n'avais qu'un seul employé, je parvenais mal à faire le suivi éditorial et la comptabilité, à assurer la production et la mise en marché et à entretenir les relations avec la presse. Depuis plus de trois ans, je travaillais sept jours par semaine, et mes journées se terminaient trop souvent tard dans la nuit. Je voulais en même temps faire de la véritable édition, bâtir un programme, énoncer des choix éditoriaux correspondant à mes goûts et donner à ma maison une plus grande crédibilité. Pour ce faire, j'avais besoin d'un colla-borateur à plein temps, différent de moi et capable de bâtir un catalogue littéraire et d'accueillir les plus grands auteurs. Ce devait être Gilbert LaRocque.

Gilbert LaRocque

Collection « Littérature d'Amérique » en 1982

C'est par l'écrivain et éditeur Victor-Lévy Beaulieu que j'ai connu LaRocque. J'étais mécontent de la traduction d'un livre américain commandée à une Française. Elle m'avait demandé le plein montant du forfait convenu avant de m'expédier sa traduction. J'acceptai, mais quand celle-ci arriva quelques semaines plus tard, je réalisai que le travail était tellement bâclé que je devais me référer à l'édition américaine pour comprendre le texte. Ce manuscrit avait besoin d'un sérieux travail de révision. Je demandai donc à Beaulieu s'il pouvait me proposer quelqu'un. Il me donna le numéro de téléphone d'un pigiste. C'était celui de LaRocque. J'ai communiqué avec lui et lui expliquai ce que j'attendais de lui. Il m'a alors demandé de lui envoyer le manuscrit par la poste, ajoutant qu'il allait évaluer le nombre d'heures nécessaires pour faire le travail et me rappeler.

Quelques jours plus tard, il m'appela pour me dire qu'il n'était pas intéressé à travailler sur cette « merde ». Il profita même de l'occasion pour dénoncer le fait que trop d'éditeurs publiaient n'importe quoi. Je ne m'attendais pas du tout à essuyer un refus et encore moins à recevoir des reproches. La conversation fut brève, le pigiste me disant qu'il n'avait pas de temps à perdre et qu'il allait, au cours de la semaine, déposer ce « torchon » à mon bureau. Je ne connaissais pas LaRocque, mais à la suite de cette conversation téléphonique, je me suis dit : « Il faut que je rencontre ce gars-là. » Je l'ai invité et il s'est présenté un vendredi midi. Il me remit le manuscrit qu'il refusait de corriger en me disant : « Il faut oublier cette traduction et recommencer le travail avec l'édition originale. » Or j'avais déjà pris la décision de renoncer à publier ce livre malgré les dépenses engagées.

Notre première rencontre eut lieu dans un restaurant de la rue Saint-Denis. Je lui parlai des débuts de Québec Amérique et de mon intention d'en faire une maison littéraire. Il me raconta qu'il était écrivain et qu'il avait travaillé déjà chez deux éditeurs en me précisant les raisons de son départ. Il faisait de la pige en attendant mieux. Le contact fut facile : j'aimais sa franchise, son intransigeance, sa grande culture et son intérêt pour la littérature. À la fin du repas, je lui demandai, mi-sérieux, mi-blagueur, s'il était intéressé à travailler avec moi pour faire de Québec Amérique la meilleure maison d'édition au Québec. Il me répondit avec son humour bien à lui : «Ça ne sera pas difficile, elles sont presque toutes pourries.» On s'est laissé en se disant qu'on allait réfléchir à tout ça, chacun de son côté.

LaRocque était tellement différent de moi, à tous points de vue. Il avait une compétence littéraire et une maîtrise de la langue que je ne possédais pas. En plus de son expérience dans l'édition, il connaissait bien le milieu littéraire, étant lui-même un auteur connu et respecté. Son caractère fougueux, son humour mordant et son sens de la repartie me plaisaient et je savais que je pourrais composer avec lui. Après m'être assuré que la situation financière de Québec Amérique me permettait de payer le salaire d'une troisième personne, je repris contact avec lui pour lui offrir le poste de directeur littéraire. Il accepta. C'était en août 1978.

René Lévesque

Le programme d'édition de 1978 comportait 11 titres dont 8 d'auteurs québécois. J'avais abandonné la publication d'ouvrages reliés à la parapsychologie, me concentrant sur les essais politiques et les grands dossiers qui continuaient d'intéresser grandement le journaliste et pédagogue que j'avais été. Voilà pourquoi, sur les 11 titres, 9 étaient des essais. Parmi eux, l'extraordinaire *Passion du Québec* de René Lévesque allait donner à la collection «Dossiers et Documents» beaucoup de prestige. Gilbert LaRocque s'est occupé dans un premier temps de faire le suivi éditorial sur les six titres retenus pour la rentrée, parmi lesquels figurait l'ouvrage de René Lévesque.

Au printemps, je m'étais rendu à Paris pour rencontrer des collègues. Y ayant appris que les Éditions Stock avaient commandé à un journaliste français un livre-entrevue avec René Lévesque, j'avais négocié et obtenu sa coédition pour le Québec. J'avais reçu le manuscrit quelques semaines avant l'arrivée de Gilbert. À sa lecture, je m'étais vite rendu compte qu'il fallait l'adapter. Plusieurs questions n'étaient aucunement pertinentes pour le public québécois. Il fallait donc revoir une bonne partie du livre et pour cela la collaboration de monsieur Lévesque devenait essentielle. Avec LaRocque, j'ai donc en toute confiance préparé une liste de questions et même relevé dans le livre les parties à supprimer. Nous étions prêts à rencontrer le premier ministre. Pour obtenir un rendez-vous, j'ai communiqué avec madame Corinne Côté, alors responsable de l'agenda. Quelques semaines plus tard, elle nous fixa une rencontre à son bureau de Montréal, dans l'édifice d'Hydro-Québec sur le boulevard qui s'appelait alors Dorchester mais qui porte aujourd'hui son nom. Gilbert et moi avions convenu de nous retrouver dans le hall de l'édifice avant d'aller à notre rendez-vous. J'arrivai le premier, pour voir bientôt surgir Gilbert vêtu d'un veston bleu marine et d'un pantalon gris, exactement comme moi. Seule la couleur de notre cravate nous distinguait l'un de l'autre. On aurait dit Dupond et Dupont. Nous avons rigolé comme deux collégiens avant de monter.

Au bureau de monsieur Lévesque, nous avons d'abord été reçus par madame Côté, qui nous a introduits dans un petit salon en nous disant que le premier ministre viendrait nous voir dans quelques minutes. Celui-ci ne nous fit pas attendre trop longtemps. Toutefois il était d'une humeur massacrante. Il nous demanda : « C'est quoi cette histoire de livre ? » Je lui ai d'abord expliqué que j'avais acquis de Stock les droits de coédition. Il m'a tout de suite répondu qu'il avait accordé cette entrevue pour la France et qu'il n'était pas question que le livre soit publié au Québec. Je rétorquai que si j'avais sollicité une rencontre avec lui, c'était parce que j'avais signé un contrat avec Stock, mais après avoir lu le manuscrit, j'en avais conclu qu'une adaptation était vraiment nécessaire. J'ajoutai que LaRocque et moi avions préparé un dossier afin de ne pas prendre trop de son temps. Il se leva brusquement en répétant : « Je vous l'ai dit, pas question. Je n'ai ni le temps, ni le goût de regarder ça avec vous. Je m'excuse mais c'est tout le temps que j'ai à vous consacrer. » Et il quitta la pièce. Gilbert n'avait pas eu le temps de dire un mot.

Août 1978, René Lévesque, Jacques Fortin et Gilbert LaRocque

Le lendemain, j'ai rappelé madame Côté pour lui demander de dire à monsieur Lévesque que je devais respecter l'entente conclue avec mon collègue français. De plus, lui dis-je, étant donné que le premier ministre ne pouvait ou ne voulait pas collaborer à une édition québécoise, nous avions décidé de le publier tel quel. Trois jours plus tard, je reçus un appel, vers les huit heures du soir, à mon domicile. « Monsieur Fortin, c'est René Lévesque. À propos de ce livre, j'ai parcouru la version des Français et vous avez raison, il a besoin d'une bonne mise à jour. Est-il trop tard pour qu'on se voie et que je fasse des changements ? » Inutile de dire que ma surprise fut totale. « Non, Monsieur Lévesque, nous avons le temps de faire toutes les corrections nécessaires. Nous avons d'ailleurs déjà repéré toutes les parties du livre qu'il faudra modifier ou actualiser. » « J'ai une faveur à vous demander, répondit-il. J'ai un horaire fou pour les prochaines semaines, pourrions-nous nous voir dimanche prochain, disons vers une heure et demie ? » « Pas de problème, Monsieur Lévesque. Pouvez-vous venir à mon bureau ?… Nous pourrions avoir accès à tout le dossier plus facilement. »

Le premier ministre se présenta à nos bureaux à l'heure convenue. Gilbert et moi avons été étonnés par sa gentillesse et sa simplicité. Il nous a mis à l'aise en s'informant du milieu de l'édition et en nous parlant de livres qu'il avait particulièrement aimés. Puis nous nous sommes attablés devant un magnétophone. La séance de travail dura trois heures. Nous avons revu tout le livre qui devait finalement être augmenté de 40 nouvelles pages. Gilbert et moi avions évidemment préparé plusieurs questions dont une qui portait sur le libellé de la fameuse question référendaire prévue pour 1980. Avec un sourire, Lévesque nous dit : « Vous n'aurez pas de réponse pour celle-là. » Mon fils François, alors âgé de 14 ans, se passionnait pour la photographie et il a pu prendre tous les clichés qu'il voulait avec la permission du premier ministre.

À la suite de cette rencontre, nous avons décidé de publier un magazine de promotion qui serait lancé en même temps que le prestigieux ouvrage. Gilbert prépara cette première édition qui était en fait un catalogue de nouveautés. René Lévesque faisait la page couverture. Le magazine, tiré à 40 000 exemplaires, fut encarté dans *Le Devoir*. J'avais vendu les droits du livre en anglais et obtenu une avance de 33 000 $. Au Québec, le livre a connu un succès appréciable malgré le fait que René Lévesque n'a pu participer à des activités de promotion, pour des raisons évidentes. Il accepta toutefois de venir au Salon du livre de Montréal pour des séances de signature. La version anglaise fut publiée en mars 1979 à Toronto par Méthuen Publications. René Lévesque, toujours premier ministre, accepta d'y faire une visite éclair pour signer son livre *My Quebec*. L'accueil des Torontois fut fort chaleureux et le livre connut un grand succès, dépassant même les 60 000 exemplaires.

* * *

L'année 1978 fut bonne financièrement, la plupart des titres ayant connu des réimpressions. Il faut dire qu'avec Lévesque et Vallières au catalogue, Québec Amérique obtenait de plus en plus de visibilité. Mais il fallait aussi des romans. Au premier trimestre de 1979, Gilbert créa donc la collection « Littérature d'Amérique » que nous avons inaugurée avec un premier roman de Jean-Paul LeBourhis, *L'Exil intérieur*. Gérard Bessette, ayant appris que LaRocque avait lancé une nouvelle collection, ne tarda pas à venir porter son manuscrit, *Le Semestre*. C'est dans ce grand roman que celui de LaRocque, *Serge d'entre les morts*, se trouve commenté, faisant partie de l'histoire racontée par un vieux professeur de littérature. Bessette nous proposa aussi de rééditer son roman *La Commensale*. C'est encore sur la recommandation de Bessette que Gilbert accepta de publier un manuscrit de Marie-Anna Roy, la sœur aînée de la grande romancière Gabrielle Roy. *Le Miroir du passé* n'a pas eu toute l'attention qu'il méritait. Cet ouvrage que nous avons longuement corrigé était assez dur pour Gabrielle Roy, mais tout de même instructif sur la vie de la famille Roy telle que l'avait vue une sœur qui se sentait écrasée par la célébrité de l'auteure de *Bonheur d'occasion*.

Nous avons, à ce moment-là, rencontré Marie-Anna Roy. Elle avait 84 ans et ne devait mourir que beaucoup plus tard, à l'âge respectable de 104 ans. À l'époque, elle habitait dans l'Ouest de Montréal, seule dans une chambre située à l'entresol d'un vieil immeuble. Les murs étaient peints en jaune cru et le mobilier réduit à sa plus simple expression : un fauteuil crevé, deux ou trois chaises, un lit de fer, une table de travail devant la fenêtre, un antique réfrigérateur et des malles bourrées de manuscrits. Son acuité visuelle était réduite à 20 pour cent. Elle remit à Gilbert son manuscrit, *Le Miroir du passé*. Nous étions tristes quand nous avons quitté la vieille dame en nous demandant comment elle pouvait vivre dans des conditions si pitoyables. Et dans une telle solitude. Elle n'avait pas vu sa sœur Gabrielle depuis 25 ans.

* * *

Sur les 13 titres publiés en cette année 1979, un seul venait d'un auteur étranger. Cette production relativement modeste nous a néanmoins permis de faire le point. Après cinq ans d'existence, j'avais publié 58 titres : c'était peu mais c'était suffisant pour créer un fonds et acquérir de l'expérience. Quelques ouvrages publiés au cours de cette période ont connu un succès très appréciable, comme *Le Prophète* d'Edgar Cayce : plus de 50 000 exemplaires ; *La Mort, dernière étape de la croissance* du docteur Kübler Ross : 30 000 ; *L'Exécution de Pierre Laporte* : 32 000 ; *La Passion du Québec* : 20 000 ; *Le Développement des idéologies au Québec* : plus de 10 000. Ces quelques exemples témoignaient de mon désir de participer aux grands débats de l'époque tout en restant attentif à la demande populaire. Je visais haut et grand, mais d'abord du côté de la grande littérature.

Gilbert avait annoncé la création de la collection « Littérature d'Amérique », au printemps de 1979. Dans un communiqué, il définissait ainsi la politique éditoriale : « le critère principal qui sous-tend toute notre politique d'édition est la qualité – et la qualité à tous les niveaux, du choix du manuscrit jusqu'à la présentation matérielle du livre […] Partant de ce principe, on comprend bien que l'aspect littéraire de notre nouvelle collection nous oblige plus que jamais à mettre l'accent sur la précision, sur le fini de notre travail d'éditeur. En tant que directeur littéraire de la maison et directeur de la collection Littérature d'Amérique, il m'incombe de faire en sorte que nos publications correspondent à nos promesses. C'est pourquoi le travail d'édition des romans devra s'effectuer selon deux phases bien précises – distinctes en même temps qu'interdépendantes.

D'abord, le choix des manuscrits ne saurait souffrir aucun compromis. Québec Amérique veut tenir un rôle actif dans notre littérature qui se fait, de sorte que nos critères de sélection seront rigoureusement soumis à la valeur intrinsèque des ouvrages présentés – d'après, bien sûr, l'appréciation d'un comité de lecture orienté dans le sens que je viens de dire. De plus – et c'est là le point délicat, cette frontière où s'arrête, d'ordinaire, le travail de nos éditeurs de romans –, à moins de circonstances particulières, une révision complète du manuscrit sera effectuée par les soins de l'équipe de la maison. C'est ainsi que nous arriverons à réaliser, en collaboration étroite avec l'auteur, ce travail de dernière main, cette mise au point, ce polissage ultime sans quoi le roman arrive le plus souvent entre les mains du public dans un état imparfait, inachevé, qu'une préparation soignée aurait permis d'éviter. » Le coup d'envoi avait été donné par la publication d'un premier roman et après l'annonce de l'arrivée de Gérard Bessette, les manuscrits ont commencé d'arriver sur le bureau de LaRocque à un rythme encourageant.

UNE BONNE LEÇON
DU PRÉSIDENT DE FRANCE LOISIRS

C'est aussi en 1979 que je conclus ma première vente importante à l'étranger. Je venais de participer à la Foire du livre de

Francfort. Une expérience décevante puisque je n'avais pu placer aucun des titres américains dont je détenais les droits en français. J'étais donc déprimé quand j'ai ensuite pris l'avion pour Genève. J'y avais planifié une journée de travail avec un traducteur à qui j'avais confié quelques titres. Je voulais aussi lui remettre un exemplaire d'un ouvrage dont il avait assuré la traduction. Il s'agissait du *Dictionnaire des rêves* du docteur Hanns Kurth.

Dans l'avion, quelques minutes après le décollage, j'ouvris ma mallette pour faire un peu de ménage dans mes dossiers. L'homme assis à côté de moi, voyant un exemplaire en français du *Dictionnaire des rêves*, me dit : « Je vois que vous êtes dans l'édition. Vous vous intéressez aux ouvrages de Kurth ? » De toute évidence, il semblait très bien connaître cet auteur. Je lui répondis que j'avais acquis les droits français de cet ouvrage allemand dont l'auteur, considéré comme un grand spécialiste, avait consacré plus de 40 ans à l'analyse pratique des rêves. Il se présenta : « Mon nom est Walter Gersgrasser, président de France Loisirs. » Comme je connaissais France Loisirs de nom seulement, il me fit un bref portrait de sa société, qui comptait 4 000 000 d'adhérents, et de son fonctionnement. J'étais impressionné et intrigué tout à la fois. De fil en aiguille, il me demanda si j'avais un éditeur en France. Je répondis que non et il enchaîna : « C'est le genre de livre pour mon club » et il me remit sa carte. Je fis de même, mais comme nous étions l'un et l'autre épuisés après la Foire, la conversation s'arrêta là, pour ne reprendre qu'à l'atterrissage à l'aéroport de Genève.

Au comptoir des bagages, il proposa de me déposer à mon hôtel. Je refusai d'abord, mais il insista. Un chauffeur l'attendait à la sortie. Durant le trajet, nous n'avons pas beaucoup parlé. Arrivé à destination, je remerciai monsieur Gersgrasser et lui demandai si je pourrais le voir au cours de la semaine à Paris puisque je devais y passer quelques jours avant de retourner à Montréal. Sa réponse fut rapide : « Dès que vous arriverez à Paris, communiquez avec mon bureau pour convenir d'un rendez-vous. »

Le lendemain, en rentrant à mon hôtel sur l'heure du midi, je vis le chauffeur qui m'attendait dans le hall. « Êtes-vous libre à dîner ce soir ? dit-il. Monsieur Gersgrasser aimerait vous inviter. »

M. Walter Gersgrasser, président de France Loisirs, en 1980

Je fis semblant de consulter un agenda très rempli (!) avant d'accepter. Il partit en disant : «Je viendrai vous chercher vers 20 heures.» Walter Gersgrasser et moi avons ainsi pu longuement parler de l'édition et du marché du livre au Québec. Il m'a beaucoup questionné sur les pratiques dans notre milieu, pour me révéler finalement que France Loisirs avait pris la décision de créer une nouvelle filiale au Québec. Il avait rencontré beaucoup d'hostilité de la part des éditeurs québécois lors d'une première visite. L'association, dirigée alors par Yves Dubé, avait même refusé de le recevoir. Je trouvais cette attitude tout à fait déplorable et l'assurai de mon entière collaboration.

Il revint alors sur l'ouvrage de Hanns Kurth, me demandant dans quelles conditions j'avais acheté ce livre. Je l'informai que l'éditeur allemand avait exigé un versement forfaitaire de 3 000 $US et que la traduction m'avait coûté 2 000 $ canadiens. Il me proposa à son tour un forfait de 50 000 francs, l'équivalent de 10 000 $ canadiens. J'étais à la fois étonné et ravi de me voir offrir le double de mes coûts de départ. C'était ma première vente importante. Il m'a alors demandé si cette proposition me satisfaisait entièrement. Ne connaissant pas les tirages de France Loisirs, j'acceptai d'emblée, d'autant plus que ce montant payait non seulement mon investissement, mais aussi tous les frais d'impression et de production du premier tirage. Gersgrasser semblait lui aussi très satisfait de l'accord. Finalement, nous nous sommes donné rendez-vous à Paris pour la signature du contrat.

Dès mon arrivée, je me suis rendu au bureau de France Loisirs. Gersgrasser m'a reçu avec beaucoup de cordialité. Mais tout à coup, pendant la visite qu'il me fit faire de sa maison, je me suis rendu compte de l'envergure extraordinaire de l'entreprise. Devant l'importance et la force de vente de ce Club, je me suis demandé si son offre était la meilleure possible pour moi. Cependant, comme j'avais donné ma parole, il n'était pas question de faire marche arrière. Je devais par la suite apprendre que ce livre est resté au catalogue de France Loisirs pendant plusieurs trimestres et que les ventes ont dépassé les 700 000 exemplaires. Si nous avions conclu plutôt une cession de droits, j'aurais touché au moins

500 000 $. Walter Gersgrasser m'avoua plus tard que notre entente avait été pour eux une très bonne affaire. Et comment! Pendant plusieurs années, chaque fois que je rencontrais des gens de France Loisirs, ils me rappelaient ce fameux contrat et les ventes fabuleuses du livre de Hanns Kurth. Cet ouvrage figure toujours à notre catalogue, dépassant maintenant chez nous le cap des 100 000 exemplaires vendus. Heureusement pour ma maison, comme on le verra plus loin, l'histoire ne devait pas s'arrêter là. Mes relations étaient excellentes avec Gersgrasser, un homme charmant, cultivé et reconnaissant. Ma collaboration dans la mise sur pied de leur filiale Québec Loisirs leur a été, je crois, assez utile. Leur premier catalogue publié en avril 1980 comportait d'ailleurs cinq titres de Québec Amérique et deux d'Alain Stanké. Peu d'éditeurs avaient accueilli favorablement la venue d'un tel concurrent potentiel, sous la forme d'un club de livre aussi important. Stanké et moi avons été les deux seuls à oser.

CINQ ANS POUR PARVENIR À LA SANTÉ FINANCIÈRE

La fin de 1979 marquait en même temps les cinq ans d'existence de Québec Amérique. Cinq ans dans la vie d'une maison d'édition, c'est une phase névralgique, un peu comme le passage de l'adolescence à l'âge adulte. Le bilan me paraissait relativement positif. Mon entreprise avait acquis une santé financière acceptable avec un fonds d'édition comportant 62 titres au catalogue. Mais il fallait continuer de bâtir. Pour bien marquer cette étape, nous avons choisi un nouveau symbole : le sextant. Par le choix de cet instrument de précision et de découverte, nous voulions ainsi illustrer notre intention de ne pas dévier de l'objectif que nous nous étions fixé et nous rappeler également notre souci constant de publier des ouvrages de qualité et de faire un travail d'édition très soigneux. Dans le troisième numéro de notre magazine paru en décembre 1979, nous annoncions clairement nos couleurs : nous voulions être les premiers, les meilleurs, nous faire voir et entendre.

Nous étions décidés à mettre le paquet, comme on dit. Nous avions le goût du risque, nous avions le vent dans les voiles, nous étions prêts à innover et à relever d'autres défis.

Deuxième partie: 1980-1985

LE GRAND DÉCOLLAGE

UNE POLITIQUE ÉDITORIALE

Après quelques années, je compris que si je voulais faire de Québec Amérique une véritable maison d'édition, il fallait d'abord que je crée les conditions propres à attirer chez nous les meilleurs auteurs. Nous avons donc élaboré un contrat type faisant la meilleure part possible à l'auteur. La toute jeune Union des écrivains du Québec (UNEQ) a très bien accueilli notre initiative en nous citant en exemple. Et puis, j'étais persuadé que pour asseoir notre réputation et avoir toute la crédibilité nécessaire, il nous fallait accorder une place prépondérante aux ouvrages littéraires, tout en attirant des auteurs qui voulaient écrire pour le grand public. Les romans et les essais constitueraient l'essentiel de notre fonds, mais notre porte resterait ouverte à d'autres initiatives.

Une fois établis nos choix éditoriaux, je me suis mis à la recherche de collaborateurs pour créer de nouvelles collections qui, en 1980, se sont ajoutées à « Dossiers et Documents » et à « Littérature d'Amérique ». « Deux continents » présentait les romans populaires d'Europe et d'Amérique. Pour les jeunes, sont nées les collections « Albums Jeunesse » et « Jeunes Publics » (théâtre). « Premières » reprenait des textes de théâtre pour adultes. Enfin, la série « Le Manchot » de Pierre Saurel, auteur de *IXE-13* fut lancée. Gilbert LaRocque collaborait à la sélection et à la préparation de tous les livres retenus par moi, néanmoins son intérêt était plus grand pour la collection qu'il dirigeait : « Littérature d'Amérique ».

LES MASQUES

Au bilan de 1980, je vois 28 titres qui ont connu des succès mitigés. Il fallait bien démarrer et laisser le temps aux collections de se développer. Nous devions aussi adapter notre mise en marché à nos différents publics. Et nous avions en réserve plusieurs manuscrits prometteurs pour 1981. Du côté littéraire, le fait marquant de 1980 avait été la publication, en novembre, du roman de Gilbert, *Les Masques*, que la critique salua avec beaucoup d'enthousiasme.

Ainsi Gérard Bessette a écrit dans *Voix et Images* : « Un peu à la façon d'un Faulkner, il nous présente, d'une part, des scènes d'une intensité sensorielle admirable et, d'autre part, des coups de sonde dans la psyché de ses personnages. » De son côté, Gilles Dorion, dans *Québec français*, se fit dithyrambique : « … quelle maîtrise et quelle richesse de l'écriture (structure, vocabulaire, style), quelle réussite dans l'exécution du projet du romancier ! Vraiment, un livre à lire, car il offre de rares satisfactions au lecteur. »

André Vanasse, dans *Lettres québécoises*, fit ressortir qu' « … une façon de dire, un certain rythme peuvent nous toucher de la même manière que ces mélodies que nous nous plaisons à fredonner – parfois jusqu'à l'obsession – pendant des heures, voire des jours […] *Les Masques* est selon moi, un des grands romans de la décennie. » Avec cette critique unanime sont venus les prix : son remarquable roman a valu à Gilbert d'être choisi Grand Montréalais pour sa contribution aux lettres québécoises, en plus de recevoir le prix Canada-Suisse et le Grand Prix du *Journal de Montréal*. Pour moi, *Les Masques* représentent une impressionnante réussite littéraire. C'est sans doute le meilleur livre de Gilbert. Comme dans la vie, il a été un romancier rigoureux et toujours exigeant envers lui-même. Il possédait, comme Kerouac, l'art de l'image et de la description vivante et concrète, avec un talent particulier pour rendre les sensations olfactives, tactiles ou visuelles. Le début des *Masques* en donne un bel exemple avec la description de la chaleur torride en août, à Montréal, avec l'asphalte qui brûle et la pollution causée par les autos surchauffées.

Gilbert LaRocque

LES MASQUES

roman

QUÉBEC/AMÉRIQUE

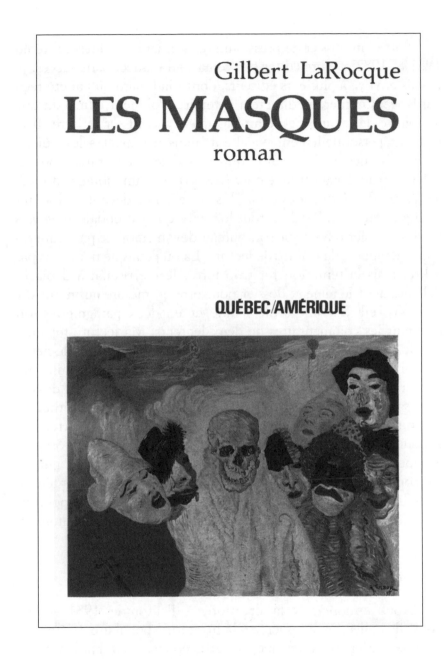

Fort d'un dossier de presse impressionnant, j'ai bien tenté en 1981 et 1982 de faire éditer son roman en France. Sans succès. Je l'avais envoyé à plusieurs éditeurs, dont Gallimard où j'ai été reçu par Roger Grenier, un directeur littéraire. Poliment, il m'a dit que le comité de lecture ne s'était pas mis d'accord sur le livre. Il le trouvait personnellement excellent, mais il y avait selon lui en France beaucoup d'écrivains qui possédaient ce grand pouvoir d'écriture qu'il avait trouvé chez LaRocque. À un moment donné, au cours de notre entretien, il s'est excusé, devant s'absenter quelques minutes. Pendant tout le temps que j'attendais, je voyais bien le dossier ouvert sur son bureau devant moi, et particulièrement le rapport du comité de lecture. Là où j'étais, je n'arrivais pas à lire, mais la tentation fut trop forte. Je me risquai à déplacer délicatement le fameux dossier pour être en mesure au moins d'y jeter un œil. Sur une seule feuille et en deux paragraphes, on résumait les commentaires de deux lecteurs. Ma lecture fut bien rapide, mais suffisante pour voir à quel point on était élogieux. Quel talent! Intense! Un grand roman! À publier absolument! disaient les quelques lignes. Stupéfait, j'ai vite replacé le dossier dans sa position originale. J'étais bien perplexe. Quand Grenier est revenu, la conversation ne s'est pas prolongée. Il m'a fortement encouragé à lui faire parvenir un autre manuscrit si je le jugeais exceptionnel. Gallimard ne reprenait pas un roman déjà publié. J'ai compris que comme d'autres éditeurs français, il n'était intéressé à publier un auteur de chez nous que dans la mesure où il pourrait avoir le marché du Québec. On connaît bien le refrain maintenant.

LE ROMAN POPULAIRE

Nous annoncions la création, à l'automne 1981, d'une nouvelle collection consacrée à la littérature populaire. C'était un marché entièrement occupé, à cette époque, par Harlequin et quelques autres séries de romans américains et français. Nous voulions occuper une part de ce marché et pour ce faire, nous avions élaboré un projet où la structure romanesque avait été définie clairement pour les auteurs. D'abord que chaque histoire soit portée par une intrigue qui retienne le lecteur jusqu'à la fin par du suspense, du mystère et de l'atmosphère. On devait aussi privilégier un décor exotique. L'auteur devait prendre bien soin de se documenter adéquatement sur les lieux où se situerait l'action de son roman. Le style devait être clair, correct et rapide, avec des phrases plutôt courtes, sans recours excessif aux propositions circonstancielles alambiquées ou méandreuses. Nous voulions que chaque roman de cette collection soit écrit dans un français international. Enfin, nous insistions sur le fait que le terme « populaire » accolé à cette collection n'avait rien de péjoratif et que sous aucun prétexte il ne devait être confondu avec « médiocre ». Nous croyions possible de faire du roman grand public avec une bonne tenue littéraire. Comme en d'autres pays.

Malheureusement, malgré tout le temps et l'énergie que nous y avons mis, ce fut un échec. Nous avions invité tous les écrivains à tenter l'aventure. Une quinzaine d'entre eux ont manifesté de l'intérêt, mais les quelques manuscrits reçus ne correspondaient pas à ce que nous avions pourtant tenté de bien décrire. Enfin, nous avons dû nous rendre à l'évidence : le marché québécois et son bassin d'auteurs étaient trop restreints. Nous avons donc abandonné le projet avec beaucoup de regret. Nous nous sommes repris un an plus tard avec la série *Le Manchot* de Pierre Saurel, auteur des *IXE-13*. Toutefois, 3 ans et quelque 45 titres plus tard, nous avons dû mettre fin à cette série, l'auteur ayant visiblement manqué de souffle. Ses derniers envois laissaient à désirer. Ainsi va la vie d'un éditeur : d'un projet à l'autre, tout est toujours à recommencer. Celui du *Matou* vaut aussi la peine d'être raconté.

1981 : L'ANNÉE DU *MATOU*

Après avoir publié un premier roman, *L'Enfirouapé*, l'écrivain Yves Beauchemin accoucha six ans plus tard d'une brique dont le titre provisoire était *Le Chat et la Bouteille*. Il le présenta à plusieurs éditeurs qui tous l'acceptèrent. Mais il y avait un hic : l'auteur voulait que le prix de vente soit inférieur à 15 $. Québec Amérique était la maison la moins connue parmi celles à qui ce défi fut lancé. J'appris par la suite que c'est Pierre Vallières qui avait persuadé Beauchemin de venir me rencontrer. En me remettant son manuscrit, celui-ci avait évidemment bien spécifié que le prix de vente serait déterminant pour lui dans le choix final de son éditeur. Mais il fallait d'abord que je croie au livre.

Et j'ai été vraiment séduit à la lecture de ce gros manuscrit. Je n'avais jamais lu une histoire aussi envoûtante. Je découvrais un grand conteur, un auteur qui maniait en véritable virtuose les mots, les situations et les personnages pour faire rire ou émouvoir. J'étais convaincu de tenir là un livre important. C'est pourquoi je n'ai pas hésité à le publier et à le vendre à perte avec un premier tirage de 3 000 exemplaires. À 14,95 $, le roman de plus de 600 pages était une véritable aubaine. Aussi ai-je pensé que je pourrais bien en vendre 10 000 exemplaires. L'affaire était tout de même très risquée. L'édition originale, vu les coûts de production et les droits à payer, ne me laissait pas de marge. Il fallait donc que je mise sur d'autres revenus potentiels, par exemple en vendant des droits dérivés ou en dénichant un éditeur en France. De son côté, Beauchemin savait qu'en contraignant ainsi son éditeur, il ne pouvait pas perdre. Il a donc négocié lui-même son contrat et obtenu des conditions plus que favorables. Toutefois il restait d'une méfiance incroyable et d'un perfectionnisme impressionnant. Rien ne lui échappait. Il prenait la peine de vérifier, et deux fois plutôt qu'une, toutes les étapes de la production. Après avoir demandé à sa sœur d'illustrer la page couverture, il est même venu avec moi en Beauce pour vérifier une dernière fois la mise en pages. Inquiet, hésitant, il avait toujours une dernière vérification à faire.

J'ai ainsi assuré personnellement le travail éditorial et le suivi de toute la production. J'ai même dû insister pour que le roman soit publié dans la collection « Littérature d'Amérique » parce que Gilbert n'était pas aussi entiché que moi de ce roman. Il lui trouvait de grandes qualités, mais considérait que sur le plan strictement littéraire, il ne correspondait pas à l'idée qu'il se faisait de sa collection. Nous en avons beaucoup discuté. La frontière entre deux collections de romans n'est pas toujours facile à tracer, certains livres pouvant se retrouver dans l'une comme dans l'autre. Pour moi, Beauchemin nous présentait un roman populaire avec des qualités littéraires évidentes. De plus, j'avais promis à l'auteur que son ouvrage serait publié dans la collection qui était déjà la plus prestigieuse à l'époque. Gilbert accepta finalement de bon gré. Le titre définitif *Le Matou* fut trouvé par Viviane, la femme de l'auteur. Le roman parut donc en mars 1981. Les critiques furent élogieuses, si bien qu'à la fin de l'année, les ventes avaient atteint les 9 000 exemplaires. C'était notre premier best-seller littéraire. Comme on sait, 5 000 exemplaires vendus au Québec correspondent à 50 000 en France et à 200 000 aux États-Unis.

C'est donc rempli d'espoir qu'en mai 1981 j'expédiai le livre et un dossier de presse à une dizaine d'éditeurs français dont Le Seuil, Gallimard, Laffont, Fayard, Hachette et Belfond. Seul Le Seuil, dirigé par Jean-Marie Borzeix, un homme affable et attentif, daigna m'expédier un accusé de réception. Je me suis donc rendu à Paris en mai pour le rencontrer. Il était prêt à considérer la publication du *Matou*, mais il voulait supprimer plusieurs pages et aussi changer toutes les expressions québécoises, prétextant que le public français allait avoir du mal à comprendre. Beauchemin a refusé, avec raison. J'ai réussi ensuite à rencontrer quatre autres éditeurs qui avaient reçu le livre. Partout je n'obtins que des réponses négatives. Les raisons invoquées pour justifier leur refus étaient confuses. Ou alors on me disait poliment : « C'est un roman charmant, mais ce n'est pas pour nous. »

Je suis reparti en campagne en octobre. Pendant quatre jours, à la Foire de Francfort, j'ai cherché en vain à intéresser d'autres éditeurs. C'est alors que je revis Walter Gersgrasser, avec qui j'entretenais des relations assez étroites. En apprenant que je rentrais à Paris, après la foire, il me fixa un rendez-vous pour déjeuner. Quelques jours plus tard, je le retrouvai donc dans un petit restaurant, près de son bureau. C'était une rencontre informelle, de simple courtoisie. Je lui ai tout de même confié ma grande déception. « Comment vais-je réussir, lui dis-je, à exporter

Le Matou

YVES BEAUCHEMIN

roman

QUÉBEC/AMÉRIQUE

notre littérature si je ne réussis pas à placer *Le Matou*, un roman extraordinaire qui connaît un très bon succès chez nous. J'ai beau l'avoir présenté à plusieurs éditeurs français, tous l'ont refusé poliment. Je n'arrive pas à comprendre cette situation. C'est un roman d'une qualité exceptionnelle, vous savez. J'ai avec moi un dossier de presse éloquent qui témoigne que ce livre mérite d'être connu du public français. » Il me répondit sans détour : « Je ne veux pas vous décevoir, Monsieur Fortin, mais je vous dirai d'abord que la plupart des éditeurs que vous avez rencontrés ne l'ont pas lu. Vous avez été un collaborateur fort utile pour nous, continua-t-il, lors de la création de Québec Loisirs. Vous avez eu la gentillesse de m'informer régulièrement de la situation du marché du livre au Québec et de plus, nous avons signé pour l'ouvrage du docteur Kurth un excellent contrat », ajoutant avec un sourire qu'il ne fallait pas céder des droits à forfait... Désireux de m'aider, il reprit : « J'ai à l'intérieur de France Loisirs un comité de lectrices qui font le choix des romans pour chaque trimestre. Pouvez-vous m'envoyer 15 exemplaires ? Leur avis nous indiquera si ce livre peut intéresser notre public. Dès que j'aurai les résultats, je communiquerai avec vous. » France Loisirs ne fait jamais ce genre d'évaluation pour un roman inconnu, encore inédit en France, aussi j'ai compris qu'il le faisait pour moi. J'ai quitté Gersgrasser en me disant : « C'est ma dernière chance de faire lire *Le Matou* en France. »

Dès mon retour au Québec, je m'empressai d'expédier les exemplaires. Un mois plus tard, me parvint cette réponse : « Monsieur Fortin, j'ai de bonnes nouvelles pour vous. Votre *Matou* a séduit nos lectrices. Il a même été préféré à de grands noms. Je suis prêt à le retenir, mais à la condition qu'il soit auparavant publié par un éditeur d'ici. Par exemple, par Bernard de Fallois, le patron des Presses de la Cité. Je le connais très bien. Je peux arranger un rendez-vous avec lui pour vous. Pouvez-vous venir rapidement à Paris ? » Quelques jours après, je reprenais l'avion. Gersgrasser avait prévenu de Fallois et lui avait fait parvenir un exemplaire du *Matou*. À mon arrivée, j'appris que le patron des Presses de la Cité n'avait pas encore eu le temps de le lire ! Et qu'il partait pour deux jours à Bruxelles... Nous étions un mardi. «Je reviens jeudi, mais j'apporte le livre avec moi, me dit-il. Nous pourrons nous voir vendredi matin, si ça vous convient.» Et l'espoir me revint.

Comme convenu, je me présentai le jour dit à son bureau, à cinq minutes de mon hôtel, dans le 6e arrondissement. L'éditeur de Simenon et de Pagnol me dit d'abord à quel point son voyage avec *Le Matou* avait été charmant. «Je l'ai terminé tard hier soir. Quel auteur et quel talent! Ce Beauchemin, que j'ai hâte de rencontrer, est un conteur doué et rafraîchissant pour la littérature française.» Les éloges de Bernard de Fallois étaient sincères. Gersgrasser me l'avait présenté comme un grand littéraire, très respecté dans le milieu. Il a donc été convenu qu'il m'enverrait une proposition de contrat dans les prochaines semaines et qu'il planifierait la sortie du livre pour la fin de février 1982. Avant de retourner à Montréal, j'ai communiqué avec Gersgrasser pour lui annoncer la bonne nouvelle et le remercier. Il m'a alors dit qu'avant d'aller plus loin, nous devions attendre la publication du livre chez Julliard (une des maisons des Presses de la Cité) et qu'on se reverrait au printemps lors de la sortie parisienne du livre. Je me suis empressé d'annoncer la bonne nouvelle à l'auteur. Après tant d'efforts, j'étais soulagé et particulièrement heureux du dénouement. Nous avons donc attendu impatiemment la parution du livre et surtout la réaction de la critique. Comme prévu, Bernard de Fallois publia *Le Matou* chez Julliard. Et les éloges ont suivi, dithyrambiques et unanimes, dans la presse française. «...Un formidable conteur. Drôle, émouvant, picaresque. Une révélation», s'exclamait Bernard Pivot qui avait invité Beauchemin à sa célèbre émission *Apostrophes*. Le magazine *Elle* disait tout simplement: «Attention, plaisir fou!» *Le Point* renchérissait: «Le meilleur livre que nous ait proposé le Québec depuis ses grands classiques.»

Bien entendu, une telle réception eut un effet boomerang au Québec. Les médias qui, lors de la sortie de son livre, avaient ignoré Beauchemin, s'intéressaient maintenant au «phénomène» du *Matou*. Les émissions de télévision qui avaient refusé de le

Bernard de Fallois

recevoir parce qu'il n'était « pas assez connu » ou « pas assez télé-visuel » sollicitaient maintenant sa présence. La demande en librairie reprit fiévreusement, dépassant bientôt les ventes qui avaient suivi la sortie du livre, un an plus tôt. Un tel événement ne pouvait laisser les producteurs de cinéma indifférents. J'entrepris donc au cours de l'été 1982 de négocier avec différentes maisons de production. Un contrat garantissant des droits de 250 000 $ fut signé au début d'octobre avec Denis Héroux pour Cinévidéo. Le producteur s'engageait à réaliser un long métrage et une série télévisée pour le Québec et la France.

Profitant de cet engouement, je repris contact avec Gersgrasser pour l'édition club de livre. Je voulais arriver à Francfort avec les contrats de cinéma, de télévision et de France Loisirs (une véritable institution dans le milieu de l'édition internationale). Il prit tout de suite les devants pour me dire qu'il était bien au courant du succès du *Matou* et très fier d'y avoir contribué en m'aidant à trouver un éditeur. Après m'avoir dit que les ventes du *Dictionnaire des rêves* étaient toujours excellentes, il m'annonça qu'il avait déjà décidé de retenir *Le Matou* comme livre vedette à son catalogue du premier trimestre de 1983. Il avait même préparé le contrat. Premier tirage : 575 000 exemplaires. Avance sur les droits : 250 000 $! Soit les deux tiers du tirage initial. Alors moi qui m'attendais à ce qu'il me propose un tirage de 80 000 à 100 000 exemplaires, j'en suis resté bouche bée. J'avais beaucoup de mal à exprimer à la fois mon étonnement et ma satisfaction.

Les lectrices de France Loisirs avaient vu juste. L'emballement pour *Le Matou* fut tel qu'un tirage additionnel de 270 000 exem-plaires fut nécessaire pour répondre à la demande. Quel beau retour d'ascenseur ! L'édition originale du *Matou* au Québec avait été déficitaire. J'avais misé sur les droits étrangers pour aller chercher des marges de profit et j'avais gagné. Ce fut là une de mes plus grandes joies d'éditeur. Je me suis donc présenté à Francfort avec tous ces contrats en poche et un communiqué, traduit en anglais par Donald Smith. Donald, dont c'était la première visite à cette foire, est toujours professeur de littérature à l'Université de Carleton. Écrivain maîtrisant aussi bien le français que l'anglais, sa langue maternelle, il m'a accompagné là-bas à partir de 1982. Il est vite devenu un précieux collaborateur, connaissant aussi bien la littérature française que la littérature anglaise. Il a, depuis, été associé à toutes les grandes opérations de Québec Amérique à l'étranger.

Au cours de la foire de cette année 1982, une vingtaine d'éditeurs étrangers ont manifesté de l'intérêt pour *Le Matou*. Nous avons aussi à ce moment beaucoup bénéficié de l'aide et de l'expérience de Claude Choquette, agent littéraire. C'est ainsi que, dans les mois qui ont suivi, 15 éditeurs représentant autant de langues ont acquis les droits du livre. Cinq ans après, le bilan affichait 1 300 000 exemplaires vendus, toutes éditions confondues. Nous avions établi un record de vente pour un auteur québécois.

* * *

L'année 1981 fut en définitive très productive avec plus de 45 publications dont 9 romans dans la collection « Littérature d'Amérique » et 4 dans « Deux Continents ». Une nouvelle collection « Santé », dirigée par le docteur Serge Mongeau, est aussi venue enrichir notre catalogue. Le premier titre, *Dictionnaire des médecines douces*, fit l'objet d'une grande opération de promotion de sorte que les ventes du livre ont pu dépasser les 40 000 exemplaires. Après *Le Matou*, c'est *La Folle d'Elvis*, un recueil de nouvelles d'André Major, qui a le plus retenu l'attention de la critique littéraire pour cette année-là.

1982 : LISE PAYETTE SE RACONTE

Après l'année exceptionnelle que fut 1981, je me demandais si nous allions connaître d'autres succès aussi éclatants. Je ne tardai pas à le savoir. Après son retrait de la vie politique, Lise Payette annonça son intention d'écrire sur son expérience du pouvoir. Inutile de dire que les éditeurs se sont précipités pour lui offrir leurs services. Je fis de même. L'ancienne ministre avait

LE POUVOIR ?
CONNAIS PAS !

LISE PAYETTE

QUÉBEC/AMÉRIQUE

l'embarras du choix. Nous savions tous que son livre serait un best-seller. Son passage dans la vie politique avait été très intense et comme ministre, elle avait mené à terme d'importants projets.

À la réception du manuscrit, Gilbert et moi avons été agréablement surpris de la qualité de l'écriture. Le texte ne demandait pas un important travail de révision. La dame savait comment dire les choses simplement mais efficacement. J'ai demandé à Gilbert de rédiger une lettre dans laquelle nous dirions à madame Payette que nous serions honorés de la publier. Celui-ci s'installa à sa machine et composa une lettre qui ne pouvait la laisser indifférente. Il y faisait une analyse fort élogieuse de son manuscrit, en particulier de son style. Il mentionnait, en outre, qu'il serait flatté de travailler avec elle, l'assurant qu'il s'occuperait personnellement de la partie éditoriale. Lorsque je l'ai lue, je savais qu'aucun éditeur ne pouvait rivaliser avec l'argumentaire de Gilbert et j'étais persuadé que Québec Amérique serait le choix de l'ex-politicienne.

Un lancement très couru

Madame Payette présenta donc son manuscrit final. Le travail éditorial se déroula fort bien, d'autant plus que l'auteure apporta une admirable collaboration. Le livre parut en avril, à temps pour le Salon du livre de Québec. À notre stand, nous avions du mal à contenir la foule qui attendait pour lui parler ou obtenir son autographe. C'était, et de loin, l'événement du salon. Un succès à tous points de vue. L'auteure, simple et généreuse, se prêta à plusieurs séances de signature. À un moment donné, je crois que c'était le vendredi soir, nous avons enregistré des ventes de 100 exemplaires à l'heure. En librairie, le livre devait atteindre les 30 000 exemplaires en moins d'un mois. À la fin de l'année, le chiffre des ventes approchait les 50 000.

Nous avions prévu pour le samedi un lancement dans une salle pouvant accueillir 200 personnes environ. Nous ne savions pas si monsieur Lévesque viendrait, d'autant plus que dans son livre, madame Payette avait un peu critiqué, quoique gentiment, ses penchants machos. Je me suis mis au téléphone au cours de l'après-midi pour tenter de faire confirmer la présence du premier ministre. Après plusieurs tentatives, j'ai réussi à parler à son attachée politique qui m'assura qu'il viendrait. On me demanda d'attendre l'éminent personnage à l'entrée de l'hôtel Hilton.

Il était environ quatre heures de l'après-midi. Il fallait que je saisisse bien la mesure de l'événement. Je devais agir vite. J'ai commencé par communiquer avec la direction de l'hôtel pour demander une autre salle. Heureusement, la grande salle de bal était libre. L'attachée de presse, Nicole Mailhot, contacta le traiteur et fit préparer des affiches pour faire connaître le changement de lieu aux invités. Quant à moi, à l'insu de tout le monde (madame Payette va l'apprendre ici), je me suis installé au téléphone pour communiquer à tous les médias de Québec un message qui disait à peu près ceci : « J'ai été mandaté pour vous confirmer la présence du premier ministre au lancement du livre de Lise Payette, ce soir. L'arrivée de monsieur Lévesque est prévue pour 19 heures. »

J'ai ainsi ameuté tous les médias écrits et électroniques qui apparaissaient dans les pages jaunes de l'annuaire du téléphone. Tous me demandaient des détails, mais je leur répondais que je n'en savais pas plus. Je me faisais passer pour un employé de l'hôtel à qui l'on avait demandé de transmettre le message. Quelques minutes après mes appels aux médias, on annonçait à toutes les stations de radio et de télévision que René Lévesque assisterait au lancement. On se demandait même si le premier ministre allait commenter les propos de madame Payette à son sujet. Avec la couverture de l'événement qui devait se poursuivre dans les journaux le lendemain, je ne pouvais espérer mieux comme coup publicitaire.

Monsieur Lévesque arriva comme prévu à 19 heures. Je l'accueillis dans le hall du Hilton et le conduisis dans la salle de bal remplie à craquer d'invités et de journalistes. Avant l'arrivée du premier ministre, j'avais pris soin d'aller chercher madame Payette à sa chambre pour l'accompagner et la présenter à tous les invités. Je me rappelle qu'elle était très nerveuse et se demandait si monsieur Lévesque viendrait. Tout se déroula fort bien. Beau joueur, le premier ministre y alla de quelques remarques drôles et amusantes qui mirent l'auteure plus à l'aise. Pour moi, la publication du livre de Lise Payette, *Le pouvoir ? Connais pas !* fut une autre expérience très enrichissante et je la compte parmi mes meilleurs souvenirs.

LA LITTÉRATURE JEUNESSE : LE RÔLE DE RAYMOND PLANTE

En cette même année 1982, Raymond Plante est devenu directeur littéraire pour la section Jeunesse et lui donna un essor considérable. Raymond était alors un écrivain bien connu et apprécié des jeunes depuis plus de 20 ans déjà. Chez nous, il a vite mis sur pied une nouvelle collection de romans qui devait éventuellement détrôner les collections existantes. Lui-même auteur prolifique, il signa un roman, *La Machine à beauté*, inaugurant ainsi un nouveau catalogue pour accueillir d'autres auteurs. Raymond a pendant sept ans exercé son métier d'éditeur avec beaucoup de professionnalisme et d'enthousiasme. Quand il nous quitta, il paraissait un peu blasé et peut-être aussi intimidé par les grands succès que Québec Amérique remportait à l'échelle internationale. Le personnel augmentait et j'avais de moins en moins de temps à lui consacrer. L'atmosphère très familiale que nous avions connue avait aussi changé avec l'arrivée de nouveaux visages. Je me rappelle que Raymond prenait le temps de répondre personnellement à chaque auteur d'un manuscrit. Il avait un grand respect pour ses collègues.

Plante publia donc six de ses titres dans la collection qu'il dirigeait. Tous ont connu du succès. On lui attribua de nombreux prix et ses livres parurent à l'étranger. Il dirigea aussi la publication de plus de 40 titres dont la série «Contes pour tous», du cinéaste Rock Demers et de ses Productions La Fête. Plusieurs d'entre eux ont connu un succès éclatant dont *La Guerre des tuques* et *Bach et Bottine* qui ont dépassé, chacun, les 50 000 exemplaires. L'auteure Michèle Marineau, qui a déjà remporté à peu près tous les prix possibles, a signé sous le règne de Plante deux romans exceptionnels : *Cassiopée ou l'été polonais* et *L'Été des baleines*. C'est d'ailleurs elle qui assura l'intérim à la direction de la section jeunesse, après le départ de Raymond Plante.

Quoique Québec Amérique Jeunesse n'ait pas été à l'époque la maison la plus connue, il était stimulant pour notre équipe de voir le jeune public lecteur donner sa préférence à nos romans. Sur la liste des dix titres les plus appréciés par les adolescents publiée chaque année par Communication Jeunesse, nos romans occupaient toujours une place de choix. À plusieurs reprises, plus de 50 pour cent des titres venaient de notre catalogue. Ce n'était pas étonnant avec des plumes comme celles de Raymond Plante, Michèle Marineau, Dominique Demers, Yves Beauchemin, François Gravel, Anique Poitras, Christiane Duchesne ou Gilles Tibo. La littérature jeunesse qui s'écrit au Québec a pris la place qui lui revient, grâce à la qualité des auteurs et au dynamisme dont ont fait preuve les éditeurs jeunesse d'ici. Nous sommes bien fiers d'avoir été là aussi au rendez-vous.

Le *Dictionnaire thématique visuel*

Toujours en 1982, comme chaque année, je suis allé à la Foire internationale du livre de Francfort. À un moment donné, en parcourant les allées, je m'arrêtai à un stand américain, attiré par un titre : *What's What?* En feuilletant le livre, je me suis souvenu de la suggestion faite à Larousse au début des années 70. Voyant mon intérêt, un représentant de l'éditeur m'en remit un exemplaire. Présenté en noir et blanc et utilisant la photographie, ce livre reprenait l'idée du Duden, publié dans les années 30, ouvrage aussi repris plus tard par Oxford. Une analyse sommaire me révéla plusieurs lacunes dans la structure et dans le contenu. Cependant, me suis-je dit, je pourrais malgré tout partir de son contenu, l'adapter et l'enrichir pour en faire un dictionnaire visuel (fait d'images et de mots) valable et surtout mieux organisé.

Je suis donc retourné le lendemain matin au stand de l'éditeur américain dans l'intention d'acquérir les droits du livre pour le marché francophone. On m'a alors dit qu'un éditeur français, Menges, avait déjà signé une option d'achat. Je suis donc parti à la recherche de cet éditeur pour lui offrir une coédition. Je l'ai finalement rencontré et lui fis une offre, lui signalant toutefois que le livre, selon moi, avait besoin d'une adaptation substantielle. Il s'est dit intéressé à travailler avec moi. Nous nous sommes donc donné rendez-vous à Paris après la foire.

Les jours suivants, j'eus le temps d'examiner de plus près le contenu et d'évaluer sommairement le coût des modifications éditoriales, ainsi que l'ampleur de l'adaptation que j'estimais essentielle pour en faire un outil fiable. Lors de ma rencontre avec Menges, la discussion a buté sur l'idée même d'en faire une adaptation. Celui-ci voulait tout simplement en faire la traduction, sans plus, alors que moi, je voulais soumettre l'ouvrage à des terminologues et revoir aussi tout le contenu. Cette divergence de vues a fait qu'à la fin j'ai renoncé à faire affaire avec Menges. Celui-ci alla de l'avant avec son projet et mit rapidement le livre sur le marché, quelques mois plus tard. Il en disparut assez vite, ayant été sévèrement critiqué pour son manque de rigueur.

Le lendemain, le hasard faisant bien les choses, pendant que je retournais, vers les 17 heures, à mon hôtel sur le boulevard Saint-Germain, j'ai rencontré Jean-Claude Corbeil que j'avais perdu de vue depuis au moins dix ans. Nous avions travaillé ensemble chez Larousse. Nous nous sommes donc retrouvés dans un café devant une bière puis une autre. Nous avons peut-être un peu trop fêté nos retrouvailles, mais notre rencontre allait avoir d'heureuses conséquences pour le développement de Québec Amérique. Jean-Claude Corbeil travaillait, à cette époque, pour l'Agence internationale de coopération culturelle et technique. Auparavant il avait été, entre 1971 et 1978, directeur de l'Office de la langue française. J'en profitai donc pour lui demander conseil. Connaissant sa grande compétence et sa vaste expérience des problèmes de la langue, je lui fis part de mon projet et racontai l'échec de mes négociations avec Menges. Comme j'étais déterminé à relever le défi de faire un jour ce dictionnaire qui me trottait dans la tête depuis tant d'années, je lui ai demandé s'il pouvait faire pour moi une étude de faisabilité. Je lui décrivis mon projet était-il réalisable au Québec ? À la blague, il m'a répondu que ce ne serait pas difficile de faire mieux que ce *What's What?* que je lui avais décrit. Nous nous quittâmes sur sa promesse de me fournir cette étude de faisabilité pour mars 1983. L'idée de l'associer au projet m'est venue six mois plus tard, lorsqu'il me remit son rapport. Voilà comment a commencé le *Visuel* dont les éditions devaient aller se multipliant à travers le monde.

LA COÉDITION ET *L'ENFANT DU CINQUIÈME NORD*

En cette même année 1982, nous avons mis l'accent sur l'Europe, comme le démontre notre magazine du temps (*Québec Amérique*, vol. 4, n° 8). Un ouvrage me revient en particulier à la mémoire à cause de ce qu'il révèle des rapports souvent complexes avec les éditeurs français. Il s'agit du roman de Pierre Billon, *L'Enfant du cinquième Nord* que j'ai coédité avec Le Seuil. Nous l'avions accueilli avec empressement dans notre programme de 1982. Tout en reconnaissant des qualités au roman, Gilbert LaRocque trouvait que le genre ne convenait pas à sa collection. J'ai donc décidé de le publier dans ma collection « Deux Continents » et le livre a obtenu un très bon succès en librairie. Pour moi, *L'Enfant du cinquième Nord* était et reste un roman remarquable. À l'époque, je l'ai lu d'une traite, fasciné par le récit d'une qualité et d'une originalité peu courantes. Ce roman se présentait à la fois comme un excellent polar, un merveilleux livre de science-fiction et un grand roman tout court. Quelques années plus tard, Billon me proposa, en même temps qu'au Seuil, un nouveau manuscrit que j'ai aussi aimé. Or Le Seuil acceptait de le publier mais en exclusivité et à la condition évidemment de pouvoir le vendre au Québec. Donc pas de coédition avec Québec Amérique. Pierre Billon, qui tenait à être publié en France, signa avec Le Seuil. J'en fus déçu, mais je comprenais la situation difficile dans laquelle l'auteur s'était trouvé. Malheureusement pour lui, ce nouveau roman passa inaperçu tant au Québec qu'en France, tout simplement parce que Billon n'avait pas ici un éditeur pour défendre son livre et qu'en France, le livre fut noyé dans une production trop considérable. L'ironie de l'affaire, c'est que Le Seuil l'avait surtout publié pour le marché québécois. Voilà encore un exemple d'échec dans les échanges France-Québec.

* * *

Que signaler d'autre pour l'année 1982 ? En mars, sur la liste des 12 titres finalistes au Grand Prix littéraire de la Communauté urbaine de Montréal, presque les deux tiers, soit 7, étaient de Québec Amérique ! Nous avions de quoi être fiers. L'année fut aussi marquée par la parution d'ouvrages d'auteurs importants. Dans la collection « Littérature d'Amérique », nous avons publié en coédition un roman de la grande romancière américaine Joyce Carol Oates. Dans la collection « Dossiers et Documents », Paul-André Comeau signa un essai considérable sur l'histoire du Bloc populaire de 1942 à 1948.

Somme toute, l'année Payette fut aussi pour nous celle des coéditions, car nous voulions démontrer que notre expertise pouvait et devait déborder les frontières du Québec, ne serait-ce que pour être mieux perçus au Québec même. Nous trouvions en effet que la littérature du Québec ne recevait pas encore l'accueil qu'elle méritait de ses lecteurs naturels. Le reçoit-elle beaucoup plus maintenant ? Plus que dans d'autres domaines culturels, nous sommes là, aujourd'hui encore, trop colonisés par la France et l'étranger.

Je travaillais donc fort du côté de la coopération avec la France. Dans le magazine de 1982, j'étais bien fier d'annoncer sur deux pleines pages les 30 ouvrages déjà coédités (en fait des éditions parallèles) avec des maisons françaises : des ouvrages populaires avec France Empire et les éditions du Rocher, des romans anglo-américains avec Hachette, *Le Matou* chez Julliard, l'autobiographie d'Anouar El Sadate avec Fayard, et d'autres encore dont le Billon dont j'ai déjà parlé. Par ailleurs, j'étais aussi content de publier de nouveaux auteurs comme Marco Micone qui m'avait confié ses *Gens du silence*. Ou encore Marilù Mallet avec ses *Compagnons de l'horloge pointeuse* et Désirée Szucsany et son *Violon*. Sans oublier André Major qui fêta ses 20 ans d'écriture en nous donnant *La Folle d'Elvis*, ni Monique LaRue et son magnifique roman *Les Faux fuyants*.

1982 fut donc pour moi et mon entreprise une autre année clé. Avec tous ces succès, j'avais atteint l'autonomie financière et j'étais prêt à relever d'autres défis. Avant tout, je voulais sortir du ghetto québécois. Je ne me voyais pas enfermé, comme la plupart de mes collègues, dans un marché limité. L'accueil reçu par *Le Matou* dans plusieurs pays m'a grandement motivé à développer d'autres marchés. Le risque est grand, l'échec peut être catastrophique, mais quel plaisir quand on gagne son pari !

Pour faire de Québec Amérique une véritable entreprise d'édition, il fallait donc trouver des idées, réaliser des projets qui puissent atteindre l'international. À cette époque, quand j'invoquais mon ambition d'atteindre les marchés étrangers, on me disait que je rêvais en couleurs. C'est une expression que j'ai souvent entendue. Néanmoins, je restais persuadé que notre développement devait passer par l'accès à tous ces marchés. C'était téméraire, peut-être, mais je n'ai jamais douté de nos possibilités. Bien sûr, la base demeurait comme toujours le Québec, comme le démontrent les publications de 1983.

1983 : LYSIANE GAGNON, MONIQUE PROULX ET GIL RÉMILLARD

Cette année-là, il y eut une vraie découverte, une révélation : Monique Proulx fit l'unanimité de la critique avec *Sans cœur et sans reproche*, un recueil de nouvelles d'une rare qualité. On lui décerna le Prix Adrienne-Choquette et le Grand Prix du *Journal de Montréal*.

Par ailleurs, la parution de l'essai de Lysiane Gagnon, journaliste à *La Presse*, ne passa pas inaperçue. *Vivre avec les hommes* se retrouva rapidement sur la liste des best-sellers et fit l'objet de plusieurs débats. Livre le plus populaire de la rentrée, il obtint même le Prix du public au Salon du livre de Montréal. Après les années féministes de la décennie précédente, madame Gagnon apportait un point de vue rafraîchissant non seulement sur la condition féminine mais aussi sur la vie du couple.

Du côté des essais de grande diffusion, que je recherchais toujours, j'eus aussi la belle surprise de voir arriver un important manuscrit de Gil Rémillard, alors professeur agrégé à la Faculté de droit de l'Université Laval. *Le Fédéralisme canadien*, ouvrage à la portée d'un vaste public, proposait une analyse éclairée de la formation, du contenu et de l'évolution du système fédératif. Publiée en deux tomes, l'œuvre de Rémillard constituait et constitue toujours une importante contribution à la compréhension des aspects les plus difficiles des éternels problèmes de la fédération canadienne. J'aimerais bien qu'un jour l'ex-ministre et auteur accepte de faire la mise à jour de son ouvrage qui reste d'actualité.

Au fait, j'y suis peut-être pour quelque chose dans la carrière politique de Gil Rémillard. Voici comment. Un jour de 1985, au moment où je préparais la publication du livre de Robert Bourassa, *L'Énergie du Nord*, je me suis rendu à la résidence de celui qui devait revenir à la tête du gouvernement à la fin de cette année-là. J'en profitai pour lui remettre un exemplaire du livre de Rémillard. Quelques semaines après, il communiqua avec moi, d'abord pour me remercier et me dire à quel point il avait apprécié l'ouvrage. Puis il me posa quelques questions sur l'auteur et finit par me demander son numéro de téléphone. J'appris quelques mois plus tard que le constitutionnaliste avait accepté de se porter candidat pour le Parti libéral avec l'assurance, disait-on, d'un poste ministériel, s'il était élu.

Mais en 1983, j'avais bien d'autres chats à fouetter, dont ce *Visuel* encore en gestation. Devais-je, oui ou non, me lancer dans ce grand projet ?

LE DÉPART DU *VISUEL*

Comme prévu, Jean-Claude Corbeil me remit en mars 1983 son étude de faisabilité. Sa conclusion était claire. Nous avions au Québec des linguistes compétents et l'expérience nécessaire en recherche terminologique. Pour mener à bien le projet, il fallait avoir recours aux spécialistes connus, en mettant à contribution par exemple l'expertise de linguistes qui avaient travaillé à l'Office de la langue française et qui connaissaient bien les méthodes de recherche mises au point par l'ancien directeur.

J'ai pris quelques jours de réflexion. Le temps de faire un premier budget selon les données du rapport de Corbeil. En tenant compte du nombre de personnes et du temps nécessaires pour réaliser le projet, j'estimai les coûts, sur une période de deux ans et demi, à 425 000 $. Je me suis dit qu'avec des ventes de 200 000 exemplaires et une aide du gouvernement, je pourrais y arriver. Mais comme le rapport ne mentionnait pas une possible contribution de l'auteur, il me fallait trouver un moyen de l'associer au projet. Je l'ai donc rencontré pour en discuter. Il me fit savoir qu'étant haut fonctionnaire, il ne pouvait recevoir des honoraires à deux endroits en même temps. Il me proposa plutôt d'engager Ariane Archambault comme directrice adjointe du projet. Il était prêt à consacrer quelques soirées et ses fins de semaine pour assurer la supervision des travaux, le tout sans rémunération directe. C'était une proposition que je ne pouvais refuser. Nous avons signé par la suite un contrat lui garantissant un revenu minimum de 100 000 $.

Ariane s'est mise au travail à la fin d'avril 1983, pour établir une table des matières et préparer le travail des terminologues et autres linguistes qui allaient se joindre à elle. En août, une illustratrice graphiste était engagée pour préparer une première maquette de quelques pages : matériel indispensable pour vendre un produit à la Foire de Francfort. Je me suis présenté à Francfort avec cette modeste première maquette, accompagné de Donald Smith et de Claude Choquette, cet agent littéraire dont j'ai parlé plus haut. Ce dernier avait obtenu quelques rendez-vous avec des éditeurs américains et français. Tous trouvèrent le projet original et intéressant, mais personne ne voulait se compromettre. On demandait plus de pages complétées, des prix et l'on posait une foule de questions sur le contenu. Après un accueil aussi attentif, malgré un matériel de présentation plutôt sommaire, j'ai acquis la conviction que nous allions réussir.

À mon retour à Montréal, j'ai réuni Jean-Claude et l'équipe pour leur faire part des réactions des éditeurs étrangers et leur demander de préparer une nouvelle maquette avec un contenu plus substantiel et une argumentation plus convaincante. Jean-Claude me fit savoir que si l'on voulait terminer dans les délais prévus, il fallait ajouter un recherchiste et un graphiste à l'équipe. Déjà, je voyais que le budget prévu ne tenait plus, mais il n'était plus question de faire marche arrière, il fallait foncer. N'avais-je pas entièrement confiance en Jean-Claude et son équipe?

LE COUP DES BEST-SELLERS

Je termine ce tour d'horizon de 1983 en jetant un autre coup d'œil du côté de la coédition où je vécus de nouveau un incident révélateur sur nos échanges avec les collègues de France. Dans la collection «Deux Continents», je continuais de publier des titres d'auteurs très connus à l'échelle internationale et qui devenaient chaque fois des best-sellers. Il y avait donc eu : Shirley Conran avec *Nuits secrètes*, Robin Cook avec *Fièvre* et Thomas Harris avec *Dragon rouge*. Tous publiés en coédition, évidemment, car il était presque impossible d'obtenir les droits premiers en français pour des romans écrits par des auteurs populaires, américains ou britanniques, dont les Québécois étaient si friands. Seul Alain Stanké, avec sa fougue et son audace, réussit un jour un coup fumant en battant les Français pour les *Mémoires* de Richard Nixon. Il avait obtenu les droits en versant une avance de 100 000 $, avec la complicité de Hachette, son distributeur en France. Le souvenir qui me revient à ce sujet concerne l'annonce du coup. Elle s'est faite à Francfort lors d'une de ces réceptions officielles du Canada, toujours grandioses à cette époque, et organisée cette fois par le fameux J.-Z. Léon Patenaude. C'est lui, à ce moment-là secrétaire perpétuel de notre profession, qui révéla avec beaucoup d'éloquence et d'arrogance au millier d'invités, presque tous des éditeurs, la grande bataille et la victoire finale de Stanké sur les éditeurs français. Les collègues français qui m'entouraient furent stupéfaits d'entendre de tels propos alors qu'ils étaient nos invités. J'entendis Robert Laffont dire avec raison : « Quel culot ! » Le moment n'était pas tellement bien choisi et une telle sortie manquait vraiment de classe. Je crois même que Stanké fut gêné de la rhétorique ridicule de Patenaude devant des éditeurs éminents qui transigeaient régulièrement des droits impliquant des sommes souvent plus considérables.

* * *

Avant de clore cette année 1983, quelques notes encore. Comme le projet du dictionnaire prenait beaucoup de place, il nous fallait un local plus grand. Nous avons aménagé au troisième étage de notre édifice de la rue Sherbrooke. De plus, deux nouveaux employés, Luc Roberge et Andréa Joseph, se sont ajoutés. Luc entra à plein temps au début de janvier, pour faire de l'expédition de colis, s'occuper des salons du livre et accomplir divers travaux. Il allait devenir un employé clé au cours des années. Après avoir rempli toutes les tâches reliées à la production, à la commercialisation et à la comptabilité, il sera nommé directeur général, poste qu'il occupe toujours.

Quant à Andréa Joseph, je me souviens du jour de septembre où elle s'est présentée à nos bureaux en nous disant tout simplement, avec son bel accent gaspésien, qu'elle se cherchait une « job » à plein temps. Je l'ai engagée, sans plus de formalités. Nous étions sans secrétaire réceptionniste depuis quelques jours. Andréa est restée sept ans avec nous. Elle est devenue, après la naissance de son premier enfant, travailleuse autonome et fait de la mise en pages informatique pour quelques éditeurs, dont Québec Amérique. Je me souviens que lorsque Dany Laferrière est venu déposer son manuscrit, *Comment faire l'amour à un nègre sans se fatiguer*, c'est à Andréa, à la réception, qu'il le remit. Elle le refila à Gilbert LaRocque avec cette note : « Refusé, on ne publie pas ce genre de livre ici » ! Il est vrai que nous avions d'autres préoccupations. Et bientôt devant nous une *annus horribilis*, comme dirait la reine.

1984 : LE DÉCÈS DE GILBERT LAROCQUE

J'aborde cette année 1984 avec une certaine réticence, car si elle fut pour moi encore remplie de joies et de belles découvertes, elle est restée marquée par une perte douloureuse. Ce fut une année prolifique et forte avec 43 titres publiés, dont 12 dans la collection que dirigeait Gilbert. Avec des noms qui allaient dominer la scène littéraire. Je pense en particulier à Noël Audet, Jacques Poulin, Madeleine Ouellette-Michalska et deux importants auteurs américains, Anne Tyler et Joyce Carol Oates. Nous avions pris la première place comme éditeur littéraire. Nous étions le point de mire du milieu. Nous étions craints aussi parce que nous ne nous gênions pas pour défendre nos auteurs et nos opinions.

Cela faisait plus de six ans que je travaillais avec Gilbert. Six ans à bâtir intensément une vraie maison d'édition. Ce fut une période faste qui a passé comme un éclair et qui s'est arrêtée brutalement avec son décès. Je me souviens très bien de la dernière journée. Nous avions rendez-vous dans l'après-midi avec deux éditeurs belges au Salon du livre de Montréal. C'était un dimanche. Gilbert était allé se chercher une bière puis était venu s'asseoir à la table où j'étais déjà avec nos invités. Il ne semblait pas dans son assiette. Il portait fréquemment la main à son front et ne prenait pas part activement à la conversation. Soudain, il s'est levé et, incapable de se retenir, il a vomi devant nous. Puis il s'est précipité

Gilbert LaRocque

dans les toilettes pour femmes toutes proches. Une avocate qui avait son bureau dans le même édifice que nous m'a dit plus tard qu'elle avait vu Gilbert en train de nettoyer le plancher au moment où elle y entrait.

Sur le coup, j'ai pensé qu'il avait tout simplement une indigestion, mais lorsque j'ai quitté mes invités, je l'ai vu se diriger vers les toilettes des hommes. J'ai décidé d'aller le retrouver. Là, j'ai eu beau l'interpeller, il n'a pas répondu. Peu après, son fils Sébastien est venu me rejoindre. Ni l'un ni l'autre, nous ne nous rendions compte de la gravité de son état. À un moment donné, il a lancé : « Ça va », sur un ton qui signifiait qu'il voulait être seul. Je suis donc redescendu, mais après plusieurs minutes, je me suis inquiété de son absence prolongée. J'ai demandé à son épouse, Murielle, de monter à la mezzanine où se trouvaient les toilettes pour voir si Gilbert y était toujours. Elle est partie avec son fils. Peu de temps après, ils sont revenus péniblement avec lui au stand. Il était dans un état pitoyable et avait du mal à garder son équilibre. Nous avons voulu évidemment l'amener à l'urgence d'un hôpital, mais il a refusé, préférant rentrer chez lui. Le docteur Serge Mongeau, qui était justement au stand comme auteur et directeur de collection, a offert de le reconduire. En le regardant quitter le stand avec l'aide du docteur Mongeau et de son épouse, j'ai réalisé que ça allait très mal et je craignis la suite. Inquiet et aussi impuissant, je quittai le Salon pour rentrer chez moi. Vers les sept heures du soir, j'appris par Murielle que Gilbert s'était évanoui en arrivant chez lui et qu'elle avait demandé une ambulance pour le conduire à l'hôpital.

Vers les quatre heures du matin, j'ai reçu un autre appel de Murielle qui m'annonçait le décès de son mari. J'étais à la fois consterné et révolté. Je ne pouvais comprendre et encore moins accepter qu'à 41 ans Gilbert, l'homme fort, ait pu succomber à une tumeur au cerveau. Pendant plusieurs heures, j'ai refusé d'y croire, me disant que ce n'était pas possible, que c'était un mauvais rêve. Vers les huit heures, Yves Beauchemin est venu chez moi. Il venait d'apprendre la triste nouvelle et son premier geste avait été de me rendre visite. J'étais touché, désemparé. Et le comble ! nous avions annoncé une grande fête pour souligner les parutions de la rentrée 1984 et la sortie de son dernier roman, *Le Passager*. Toutes les invitations, plus de 600, étaient déjà envoyées. Nous étions à quelques jours de ce lancement collectif. Que faire ? Après avoir consulté l'épouse de Gilbert et sa famille, nous avons convenu de maintenir l'événement et de transformer la soirée en un dernier hommage.

Je me suis donc rendu au bureau plus tard ce jour-là. À mon arrivée, j'eus la surprise d'être accueilli par des auteurs venus partager avec moi leur peine, mais aussi les nombreux et merveilleux souvenirs que nous laissait Gilbert. Monique Proulx, Jean-Paul LeBouhris, Dominique Blondeau, Yves Beauchemin, Raymond Plante, Monique LaRue étaient là. Plusieurs autres sont aussi venus au cours de la semaine pour offrir leur aide. Une grande solidarité s'est ainsi manifestée et je me suis rendu compte à quel point, plus que jamais, nous formions une véritable famille.

Les funérailles se sont déroulées avec beaucoup de simplicité et de respect. La soirée hommage qui suivit dans la même semaine fut un événement rempli d'émotion mais aussi un fameux coup de chapeau au grand disparu, écrivain et éditeur. J'avais préparé, avec l'aide d'auteurs, une grande affiche sur laquelle on pouvait lire des témoignages d'écrivaines et d'écrivains québécois. J'avais également réservé une page entière dans *La Presse* et *Le Devoir* où étaient repris ces témoignages. Ceux qui ont pris la parole lors de cette soirée n'ont pas manqué de critiquer sévèrement Réginald Martel et François Hébert. Le premier, par vengeance peut-être, avait ignoré la parution du roman et le deuxième, sans doute par jalousie, l'avait démoli d'une façon grossière et malhonnête. Les témoignages émouvants de nombreux auteurs du milieu littéraire sur l'homme et l'écrivain ont alors donné une réponse éloquente aux dérapages de Martel et de Hébert qui ont dû se sentir bien seuls...

Personnellement, j'aurais aimé mieux connaître Gilbert, avoir au moins pu profiter de quelques heures où nous aurions pris le temps de nous parler. Je le voyais bien maintenant : pendant près de six ans, j'avais côtoyé un LaRocque qui m'avait admirablement bien caché ses angoisses et ses problèmes de santé. La lecture de

Jacques Fortin et Gilbert LaRocque

À Paris au printemps 1982, Jacques Fortin, Raymond Plante, Yves Beauchemin,
son épouse Viviane et Gilbert LaRocque

son dernier roman, *Le Passager*, fut d'ailleurs pour moi tout un choc. Pendant qu'il l'écrivait, Gilbert m'avait parlé d'un livre serein, mais ce n'en était pas un, loin de là. Ce *Passager* était un roman à la fois dur et tendre et de plus, justement, tragique. En fait, il y avait quelque chose de prémonitoire dans ce récit, comme devait le constater le médecin qui l'avait reçu à l'hôpital. Apprenant par les journaux que Gilbert était un écrivain, il avait voulu lire *Le Passager*. Il m'avait appelé par la suite pour me dire que LaRocque avait décrit, d'une façon surprenante, sa propre mort. J'ai donc repris cet extrait dans les journaux quand je lui ai rendu hommage.

1978-1984 : six ans d'euphorie, de moments intenses, d'humour quotidien. Une synergie incroyable et une complicité naturelle s'étaient installées entre nous. Nous allions manger ensemble tous les midis. C'était pour nous l'occasion de parler de projets et des manuscrits reçus. Pendant toute cette période, je n'ai jamais eu de dispute avec Gilbert. Nos échanges étaient imprégnés d'un humour satirique et tout sujet, même le plus sérieux, tournait à la blague. On aurait même dit qu'il était incapable de me voir soucieux ou angoissé et qu'il trouvait tous les jours le moyen de me faire rire. Gilbert vivait en même temps sa vie d'écrivain avec ses incertitudes et ses tourments.

Pendant cinq ans, il a joué le jeu admirablement. Au cours des derniers mois de sa vie, son humeur et son jugement montraient des signes qui auraient dû m'inquiéter, mais je croyais que son comportement était relié au stress engendré par la parution prochaine de son roman et à ce qu'il appelait l'indifférence et le mépris du journaliste de *La Presse*, Réginald Martel, avec qui nous avions de graves différends.

Grâce à LaRocque, j'ai découvert la nature des créateurs : leur sensibilité, leur fragilité, leur vulnérabilité et aussi leur égocentrisme souvent démesuré. Je voyais bien l'angoisse qui l'habitait, mais son humour recouvrait tout. Il était à la fois implacable et généreux, sévère et tolérant. Avec lui, c'était noir ou blanc. Malgré son caractère misanthrope et son allure de confesseur (c'était d'ailleurs son surnom), sa grande intégrité, sa franchise et sa compétence le rendaient très crédible comme éditeur auprès des auteurs. Plusieurs le craignaient, mais tous voulaient être publiés par lui. Il fut sans aucun doute l'éditeur littéraire marquant des années 80. Il ne fut pas facile à remplacer. Tous ceux qui lui ont succédé à la direction de sa collection, malgré leur bonne volonté et leur dévouement, ont eu beaucoup de mal à conserver le dynamisme qu'il avait insufflé à son entreprise.

LE *MAGAZINE QUÉBEC AMÉRIQUE* ET NOS DÉBATS

Pour conclure, relativement à cette époque du « grand décollage », je voudrais revenir sur les débats auxquels j'ai été associé avec Gilbert et d'autres. Nous avions créé le *Magazine Québec Amérique* où nous avons plus d'une fois dénoncé le milieu de l'édition qui, à nos yeux, souffrait d'un conformisme ennuyeux et opportuniste. Quelques éditeurs bien établis faisaient leur métier honnêtement, mais d'autres manquaient totalement de respect pour les auteurs qui se plaignaient avec raison que certains négligeaient de payer les droits alors qu'il recevaient de généreuses subventions. Sous le règne d'Yves Dubé à la présidence de l'Association des éditeurs canadiens (AEC), on avait même eu le culot de demander au gouvernement du Québec de ne pas obliger les éditeurs à prouver qu'ils avaient payé les droits avant le versement des subventions, sous prétexte que ça mettrait trop en péril la survie de certains éditeurs.

J'étais à ce moment-là très actif dans différentes associations reliées au monde du livre. Devant le peu de crédibilité de l'Association des éditeurs (j'étais membre de son bureau de direction), j'ai décidé de fonder en janvier 1980 le Regroupement des éditeurs professionnels (REP) avec sept éditeurs dont Victor-Lévy Beaulieu, Marcel Broquet, Bertrand Gauthier de La Courte Échelle, Boréal-Express et HMH. Plusieurs autres se sont joints au regroupement ou nous ont ensuite donné publiquement leur appui. Même si j'étais membre de la direction de l'Association des éditeurs, je ne me gênais pas pour critiquer ouvertement l'attitude de son président qui avait transformé l'organisme en un bureau d'assistés sociaux, doublé d'une agence de voyage.

Je déplorais le fait que les subventions fédérales et provinciales ne servaient pas à financer des activités vraiment professionnelles et à régler les problèmes de l'édition. Je réclamais un code de déontologie et un rapprochement avec l'Union des écrivains qui voulait parler de problèmes communs et de contrat type. Or, par suite de mon intervention musclée et de la fondation du REP, le bureau de direction de l'AEC profita de mon absence pour suspendre Québec Amérique de l'association. Devant ce geste inacceptable, j'ai démissionné. Il y a eu par la suite une assemblée où Yves Dubé fut invité à quitter la présidence pour être remplacé par René Bonenfant. Le nouveau président tenta à plusieurs reprises de ramener Québec Amérique dans l'association, mais sans succès. Et comme j'ai finalement avisé toutes les instances gouvernementales que je n'acceptais pas que l'AEC parle en notre nom, on m'invita à siéger à différents comités gouvernementaux, tant à Québec qu'à Ottawa, malgré l'exaspération de l'AEC.

Le REP n'était pourtant pas une association parallèle : c'était un comité d'étude qui s'engageait, avec la collaboration de l'Union des écrivains, à préparer un code d'éthique et à le soumettre aux différentes associations d'éditeurs. Était-ce si dangereux ? Quand le nouveau bureau de direction de l'AEC prit enfin au sérieux les intentions du REP, il confia rapidement à Pierre Tisseyre le mandat de préparer un code de déontologie. Le but du REP étant atteint, nous l'avons dissous, tout en sachant bien que l'AEC s'était donné un code d'éthique surtout pour sauver les apparences et se donner bonne conscience.

À cette époque, notre magazine était très populaire dans le milieu du livre et les critiques qu'on y formulait à son égard provoquaient des réactions chez ceux qui occupaient des postes de direction au sein de différentes instances dont la Société de développement du livre et du périodique (SDLP), organisme mandaté par les différentes associations du milieu du livre. Dirigée à ce moment-là par Thomas Déri, cette organisation s'occupait aussi des foires à l'étranger. Les éditeurs devaient envoyer leurs livres et catalogues à la SDLP qui se chargeait d'acheminer le tout à la Foire de Francfort. À cette époque, nous y avons donc expédié nos magazines, mais à la surprise générale, le directeur Déri nous expédia une lettre en juin 1981 nous annonçant ceci : « Après avoir procédé à la lecture de ces deux numéros et considérant qu'ils contiennent des propos susceptibles de porter préjudice aux membres de la profession, je me vois dans l'obligation de ne pouvoir les accepter au stand Groupe Québec (Canada) à Francfort …»

Naturellement, Thomas Déri n'a jamais été capable de justifier son geste de censure et le ministère des Communications d'Ottawa comme le ministère de l'Industrie et du Commerce à Québec qui subventionnaient l'événement l'ont bientôt informé qu'il agissait illégalement. Déri a donc dû tolérer la présence de notre publication dans le stand. Sauf que chaque fois que je le quittais, les numéros disparaissaient…

Outré par les propos tenus à son endroit dans le magazine, Yves Dubé intenta, quant à lui, une poursuite contre nous. Il allégua notamment que nous avions sérieusement entaché sa réputation et même que nos écrits avaient affecté sérieusement sa santé physique et mentale. Il attribuait la cause de ses rougeurs au stress provoqué par nos déclarations et disait souffrir aussi de picotements. Mon avocat réclama donc qu'un médecin l'examine. Dans ce but, on nous demanda de proposer trois noms. J'ai donc donné les noms de trois docteurs, mais tous trois étaient docteurs en médecine vétérinaire. Cela déclencha une telle rigolade entre les avocats des deux parties que Dubé retira sa poursuite sans faire aucun commentaire.

À la sortie du deuxième numéro de notre magazine, en mai 1979, Réginald Martel, chroniqueur littéraire à *La Presse*, publia dans son journal un texte qui indiquait bien l'importance et l'intérêt que suscitaient nos prises de position. Il y disait ceci : « On dira que la concurrence n'est pas forte. Il reste que les éditions Québec Amérique sont parmi les maisons les plus dynamiques du Québec. Et le p.d.g. Jacques Fortin n'hésite pas à écrire dans le magazine d'information dont le deuxième numéro vient de paraître que certains éditeurs, dont la première préoccupation est de rester accrochés aux mamelles de l'État et qui affichent des comportements d'assistés sociaux et de mendiants, sont les premiers responsables du conformisme ennuyeux et inefficace de l'édition nationale. » Et le journaliste d'ajouter : « Il reste que Jacques Fortin dit l'exacte vérité. Il la dit dans son propre magazine, [...] un produit pour le moins étonnant. Étonnant parce qu'on y met le prix : couverture en quatre couleurs, papier de qualité, articles d'information nettement identifiés. Étonnant encore parce que cette information, qui est évidemment d'intention publicitaire, tient un langage qui ne prend pas le client pour un imbécile. »

Il est vrai que Gilbert y tenait un discours flamboyant et polémiste. En voici un exemple : « Tant que les croque-morts de la littérature continueront de faire le sinistre jeu de la médiocrité [...] on va continuer à refiler au public lecteur des ouvrages atteints de chlorose ou de malformation congénitale [...] la culture littéraire du Québec repose entre les mains d'incompétents boursouflés et à demi paralysés... »

Heureusement, les éditeurs sont aujourd'hui de plus en plus sérieux. L'édition nationale a acquis au cours des 20 dernières années une maturité remarquable et les éditeurs dans l'ensemble font maintenant preuve de beaucoup de professionnalisme. Avec des publications dont la qualité n'est plus mise en cause, l'édition québécoise n'a plus aucune raison de souffrir de complexes face aux éditeurs français. Nos éditeurs assument plus qu'honorablement leurs responsabilités.

RÉGINALD MARTEL

Il me reste encore, à ce chapitre du magazine, à rappeler le différend qui nous opposa bientôt à Réginald Martel qui pourtant nous avait bien louangés. Le critique et journaliste bien connu avait d'abord goûté nos prises de position et nos critiques à l'endroit du milieu du livre. Il avait auparavant qualifié d'« inoubliable » le premier roman de Gilbert LaRocque, *Le Nombril* (d'abord publié au Jour, en 1970), priant tous ses lecteurs de courir l'acheter. Cependant, le ton de ses articles devait complètement changer le jour où Gilbert a commencé à parler dans le magazine de l'automne 1980 (numéro double 5-6) des « critiques qui ne critiquent plus ». Dans une « Lettre ouverte à Monsieur Réginald Martel » (datée du 10 juin 1981 mais qui ne fut pas expédiée), Gilbert lui retournait l'accusation d'être « hargneux » lancée par le journaliste, accusant même le chroniqueur de « paresse flagrante ». Gilbert voulait alors savoir pourquoi le chroniqueur n'avait pas encore parlé de son dernier roman, *Les Masques*, que la critique avait salué comme un livre important et novateur ainsi que je l'ai signalé plus haut.

La charge de LaRocque était écrasante. Martel n'avait ni dénoncé l'exploitation des écrivains par des éditeurs véreux, ni reconnu la qualité du contrat que notre maison offrait aux auteurs. Il réduisait nos différends avec l'AEC aux dimensions d'un vulgaire conflit de personnalité entre Dubé et moi. Il jouait les censeurs à la petite semaine pour épater la galerie en relevant la moindre imperfection des livres. Et Gilbert terminait sa diatribe en apostrophant ainsi le critique non critique : « Si la tenue d'une chronique littéraire ne vous intéresse plus, confinez-vous à la radio, devenez disc-jockey, recyclez-vous en frère mariste ou en gogo boy, achetez-vous un car-wash, faites n'importe quoi – mais Seigneur ! passez la main… »

Le 15 décembre 1982, une version abrégée de cette lettre, cosignée par moi, fut bel et bien envoyée, cette fois, à Martel. Nous y disions que le critique avait perdu sa crédibilité en faisant une critique louangeuse de *La Culotte en or* et du *Crime d'Ovide Plouffe* de son patron Roger Lemelin, qui avait tenu en outre à les mettre en vente dans les épiceries plutôt que d'utiliser le réseau normal des librairies. Nous annoncions aussi dans cette lettre que nous n'enverrions plus nos livres pour recension à *La Presse*. Notre débat devait continuer ainsi jusqu'à la mort de Gilbert. Il y aurait là de quoi alimenter bien des thèses sur le milieu littéraire. D'ailleurs, n'est-il pas curieux qu'on en écrive si peu sur la circulation des livres et leur réception au Québec ?

Quoi qu'il en soit, j'ai continué de faire connaître nos positions à *La Presse* et à ses dirigeants. Nous avons critiqué les déficiences de l'information des journaux mais aussi celle de la radio et de la télé. Il faut dire que depuis, la situation à ce chapitre n'a guère évolué : je dirais même qu'elle s'est détériorée. Gilbert a continué la bataille dans la fiction elle-même. Dans *Le Passager*, il a raconté la gifle donnée par un certain critique nommé Marcel à l'écrivain nommé Bernard. Et l'affrontement qui s'ensuivit.

Pour conclure, je citerai la chroniqueuse du *Devoir*, Rolande Allard-Lacerte, dont la chronique du jeudi 29 novembre 1984, soit peu après la mort de Gilbert, avait pour titre : « Le Testament de la colère ». Elle y rappelait la conversation qu'elle avait eue avec LaRocque la veille de sa mort. Celui-ci y avait dénoncé les critiques des journaux en les traitant de « cloportes » qui assassinaient les créateurs, de démolisseurs et de parasites sans talent. Le texte de la chroniqueuse se terminait ainsi : « Tant de pierres dans tant de jardins finissent par s'amonceler. Tantôt elles servent à construire des chapelles – littéraires – tantôt elles servent à les lapider. Jusqu'à ce qu'il ne reste plus pierre sur pierre. Jusqu'à la pierre tombale. »

Troisième partie: 1985-1990

DES SUCCÈS INÉGALÉS

1985 : Le retour à la réalité

Le décès de Gilbert LaRocque, le 26 novembre 1984, laissa un grand vide dans notre maison. Privé de mon directeur littéraire, j'ai dû tant bien que mal assurer l'intérim. Je dois avouer que j'ai alors connu des moments de découragement. Mais grâce au soutien de plusieurs auteurs, je me suis remis à la tâche, avec autant de vigueur et de détermination que Gilbert en aurait eu pour réaliser le programme des publications prévues pour l'année 1985. Et les décisions, je les prenais en pensant souvent à lui, me demandant : « Qu'aurait fait Gilbert devant telle situation ? » Et toujours, lorsque venait cette question, j'éclatais de rire parce que sa première réaction aurait été celle-là. Son souvenir revenait fréquemment entre nous. Notre équipe comprenait Luc Roberge, Andréa Joseph, Donald Smith, l'attachée de presse Nicole Mailhot et les auteurs Dominique Blondeau, Raymond Plante, Jean-Paul LeBourhis et Monique Proulx. Nous nous sommes bientôt partagé les tâches éditoriales. Donald Smith allait, par exemple, créer un nouveau bulletin d'information pour remplacer le magazine. Et un numéro spécial devait être produit à la mémoire de Gilbert LaRocque. Sous la direction de Donald, avec la collaboration de Dominique Blondeau, Gérald Gaudet, Marc Gendron, Jean-Paul LeBourhis et la journaliste Véronique Robert, ce numéro dresserait un bilan de sa carrière, en plus de lui rendre un vibrant hommage.

Et puis, il y avait des livres à publier, d'autres encore à trouver. Dans notre métier, la roue tourne sans fin, puisqu'il est bien rare qu'on puisse vivre seulement de réimpressions. Il faut toujours être à l'affût de la découverte.

LES FILLES DE CALEB

Le premier manuscrit qui attendait un traitement éditorial était d'une certaine Arlette Cousture. Nous l'avions reçu quelques jours avant le Salon du livre de Montréal, en novembre 1984. LaRocque l'avait parcouru brièvement, avant de me le remettre, en disant que ce n'était pas pour sa collection. Je l'ai alors lu avec beaucoup d'intérêt, d'autant plus que ma femme Gisèle l'avait beaucoup aimé. Je trouvais que ce récit nous révélait une conteuse de grand talent. Je l'avais fait lire par deux lectrices qui n'en avaient pas recommandé la publication. Elles le trouvaient trop faible sur le plan littéraire, tout en reconnaissant que le sujet pourrait peut-être rejoindre un public amateur de romans populaires. Je savais qu'il avait été refusé par d'autres éditeurs, et contre l'avis même de mon comité de lecture, je décidai de le publier quand même, étant persuadé que cette histoire pouvait séduire un vaste public.

Je pensais que ce roman avait les qualités requises pour atteindre des ventes de 10 000 exemplaires. Ce n'était pas l'avis d'un concurrent qui l'avait refusé. Quand je l'ai rencontré, quelque temps après la sortie du livre, il m'a dit : « Tu n'en vendras pas 2 000 exemplaires. » Et la critique ? Elle allait sûrement bouder le livre. Il fallait que je trouve d'autres moyens de le faire connaître. Je décidai de faire le tour des librairies pour en faire personnellement la promotion et tenter de transmettre mon enthousiasme. J'insistai également auprès de mon distributeur pour que le livre soit toujours bien visible sur les étalages et sur la liste des romans suggérés pour les vacances. Je fis si bien que vers la fin de l'année, près de 9 000 exemplaires avaient été vendus. C'était un véritable best-seller. J'avais gagné mon pari. J'étais aussi bien content pour l'auteure qu'on snobait dans le petit milieu littéraire.

ROBERT BOURASSA ET SON SCRIBE

À la même époque, j'appris par un ancien conseiller de Robert Bourassa, Charles Denis (que j'avais connu auparavant comme

Arlette Cousture (1987)

Robert Bourassa (1985)

directeur d'un organisme culturel), que le Parti libéral projetait de publier un livre. Je lui ai donc demandé de me mettre en contact avec Robert Bourassa qui, à cette époque, préparait son retour au pouvoir. J'ai reçu, par la suite, un appel de Michel Corbeil, attaché politique au bureau de l'ex et futur premier ministre. C'est surtout grâce à lui que le projet du livre *L'Énergie du Nord* s'est concrétisé. Il fut un collaborateur fort efficace. D'abord sur le plan éditorial, il assuma la presque-totalité de la rédaction et des relations entre nous et monsieur Bourassa. En tout je n'ai rencontré ce dernier qu'à deux ou trois occasions pendant la préparation du livre. La publication de *L'Énergie du Nord*, qui parut également en anglais à Toronto, chez Prentice Hall, faisait évidemment partie d'une stratégie électorale. Lors d'une conférence de presse annonçant le lancement du livre, un journaliste, qui connaissait sans doute les dessous de l'histoire, me posa cette question en présence de Robert Bourassa : « Pouvez-vous me confirmer que monsieur Bourassa est le véritable auteur de ce livre ? » Je lui ai répondu : « Celui qui signe un livre en est toujours l'auteur. Vous avez des doutes ? » Robert Bourassa me regarda avec un sourire complice.

QUI AVAIT LE PLUS DE LECTEURS, BOURASSA OU LÉVESQUE ?

Au printemps de 1985, quelques semaines après la sortie du livre de Robert Bourassa, je publiais un ouvrage commandé et rédigé cette fois par le Parti québécois. Il avait pour titre : *Au-delà de l'image* et René Lévesque le préfaçait. Le travail d'édition fut cette fois assez rocambolesque. Le contenu du livre nous arrivait un chapitre à la fois et nous le composions au fur et à mesure. Cependant, on y apportait tellement de corrections que j'ai dû aviser les responsables qu'il serait impossible de respecter la date de parution prévue. Les auteurs ont alors exigé le maintien de la date déjà convenue. J'ai rétorqué qu'il faudrait un miracle. Je reçus bientôt un appel de René Lévesque lui-même qui plaida avec toute l'habileté qu'on lui connaît. Devant son insistance, j'acceptai, mais à une condition : je devais recevoir, dans les deux jours, la copie finale du manuscrit, sans autre possibilité de le retoucher. J'avais aussi à l'esprit une demande que je ne pouvais pas facilement formuler de prime abord, mais sachant que le premier ministre allait annoncer sa retraite de la vie politique sous peu, j'en ai profité pour lui dire que s'il avait un jour l'idée d'écrire, je serais ravi d'en parler avec lui. Il m'a répondu : « J'ai le goût d'écrire quelque chose. Après mon mandat, j'irai vous voir. » J'ai donc travaillé avec acharnement pendant deux nuits pour terminer la production d'*Au-delà de l'image* et le remettre à l'imprimeur qui, multipliant les heures supplémentaires, a réussi à le sortir une journée avant la date fatidique !

Les livres des libéraux et des péquistes se sont donc retrouvés presque en même temps en librairie. Si bien qu'au cours d'une période de questions à l'Assemblée nationale, René Lévesque s'est un peu moqué de la publication de son vis-à-vis. Bourassa, de son côté, n'avait pas tellement apprécié la comparaison faite, dans le livre du Parti québécois, entre ses réalisations passées et celles du gouvernement péquiste. À un moment donné, Lévesque avança que, selon lui, *Au-delà de l'image* se vendait mieux que *L'Énergie du Nord*. Il n'en fallait pas plus pour provoquer une petite guerre de chiffres. Des journalistes m'ont d'abord relancé, puis le premier ministre lui-même a voulu savoir si ses prétentions en Chambre se tenaient. Le lendemain, c'était au tour de Robert Bourassa de venir aux renseignements. J'ai bien sûr refusé de me laisser embringuer dans ce débat entre politiciens. D'ailleurs, tous les deux ont très bien compris et accepté ma neutralité.

LE MATOU ET LE M'AS-TU-VU

Il y a eu aussi des moments où la vie politique a débordé sur la vie littéraire. C'est arrivé avec *Le Matou*. La même année, les médias ont parlé abondamment du film qu'on en avait tiré. La première présentation eut d'ailleurs lieu lors du Festival des films du monde fin août 1985. Le succès fut total. On salua le grand talent du réalisateur Jean Beaudin, qui avait fait revivre avec brio les nombreux personnages du roman d'Yves Beauchemin. Le film fit un malheur et pulvérisa tous les records en salle pour une production québécoise.

Vers la même époque, le livre fut publié en format poche avec un premier tirage extraordinaire de 45 000 exemplaires. Avec le distributeur, nous avions évidemment préparé une mise en place importante en librairie. Nous prévoyions que le livre allait occuper la liste des best-sellers pendant plusieurs semaines. L'offensive commerciale fut donc précédée d'un grand lancement sur la rue Mont-Royal, non loin du restaurant La Binerie, cadre de plusieurs épisodes importants du roman. Et, grand événement, le premier ministre René Lévesque avait accepté de présider l'événement.

C'était l'une de ses dernières sorties avant son retrait de la vie politique et il m'avait demandé de ne pas inviter de membres de son Conseil des ministres. Il était entendu que je devais l'attendre à un endroit précis. Tout à coup, j'aperçus Clément Richard, son ministre des Affaires culturelles qui, devinant que j'attendais monsieur Lévesque, se pointa à mes côtés mais, bizarrement, sans m'adresser la parole. Son manège était d'une grossière évidence, car plusieurs journalistes et cadreurs se trouvaient également sur place. C'est ainsi qu'à l'arrivée de René Lévesque, je vis, chaque fois que j'avançais d'un pas, Clément Richard se placer devant moi. Il voulait tout simplement se trouver dans le champ des caméras et être le premier à accueillir le premier ministre ! Rien de moins ! À son arrivée, monsieur Lévesque me salua donc avec un air interrogateur, sans que je puisse lui donner d'explications. Et j'ai ainsi dû tolérer, pendant un bon moment, la présence de l'intrus qui nous collait aux talons. Au cours du lancement, j'ai fini par dire à monsieur Lévesque que Richard n'avait jamais été invité.

Mais ce ne fut pas tout. Plus tard, au cours de la réception, voilà le m'as-tu-vu qui se permet de prendre – sans les payer – cinq exemplaires du livre pour les offrir à des connaissances qui étaient de la fête ! Il devait, d'ailleurs, répéter ce geste au cours de deux autres lancements, toujours sans avoir été invité. On en voyait parfois de belles dans le monde de la culture. Certains n'avaient pas le savoir-vivre de monsieur Lévesque.

JACQUES GODBOUT
À LA DIRECTION LITTÉRAIRE ?

En septembre 1985, j'assumais toujours la direction de « Littérature d'Amérique ». Je savais bien que je devais trouver un nouveau directeur, mais les candidats n'étaient pas nombreux. Qui pouvait remplacer Gilbert LaRocque ? Deux auteurs de la maison m'avaient offert leurs services, mais je ne pouvais accepter pour des raisons à la fois émotives et professionnelles. J'avais par ailleurs offert le poste à Donald Smith, mais il avait refusé, craignant la réaction des auteurs québécois parce qu'il était anglophone. Ce qui aurait pu nuire à Québec Amérique. Pourtant, Donald était qualifié par sa formation en littératures française et québécoise, matières qu'il enseignait depuis plus de 20 ans.

J'eus alors l'idée d'offrir le poste à Jacques Godbout, très connu dans les milieux du cinéma, du journalisme et du livre. Je le connaissais pour l'avoir rencontré au cours de salons du livre et lorsqu'il occupait la présidence de l'Union des écrivains après l'avoir fondée en 1977. Je lui fis donc la proposition de diriger « Littérature d'Amérique ». Mon offre l'intéressa et il me demanda de lui remettre les cinq meilleurs titres de la collection. Je m'empressai de lui acheminer *Le Matou* d'Yves Beauchemin, *Les Masques* de Gilbert LaRocque, *Sans cœur et sans reproche* de Monique Proulx, *Volkswagen Blues* de Jacques Poulin et *Le Semestre* de Gérard Bessette.

À peine une semaine plus tard, pendant mon absence, il ramena les livres au bureau en me laissant un message sans équivoque : « Jacques, je ne serai pas ton directeur littéraire. Je n'aurais publié aucun des livres que tu m'as remis. » Jugez de mon étonnement à la lecture de cette note lapidaire. On m'avait prévenu que Godbout était un homme fier, plutôt imbu de lui-même. Je savais qu'en général il publiait en France des livres dont le tirage était presque entièrement destiné au marché du Québec. En fait, Le Seuil publie encore aujourd'hui ses romans pour nous les vendre, sachant bien que peu de lecteurs s'y intéressent en Europe. Il semble qu'être édité en France, comme pour un certain nombre d'écrivains québécois curieusement colonisés, ce soit important pour lui. Même Boréal, la maison d'édition dont il est le président, ne lui paraît pas assez prestigieuse pour qu'il lui confie ses manuscrits.

Après son refus, je me suis précipité dans une bibliothèque pour parcourir ses romans que je ne connaissais pas. Je savais que Godbout était un intellectuel brillant, à la fois compliqué et nombriliste. Mais j'avais aimé *Salut Galarneau!* et en avais déduit qu'il écrivait toujours dans cette veine. Toutefois, malgré une écriture simple et efficace, ses autres romans m'ont paru manquer totalement de chaleur et d'émotion. Telle était sans doute la raison du peu de succès populaire de ses œuvres. Il m'a donné à ce moment-là l'impression d'être plutôt un essayiste habile qui écrivait des romans. Après avoir pris connaissance de son refus, je n'ai donc pas jugé bon de communiquer tout de suite avec lui. Nous nous sommes revus quelques semaines plus tard au Salon du livre de Montréal et nous n'avons pas parlé du tout de cette affaire. Mais je conserve beaucoup d'estime pour lui et aime bien le rencontrer, car c'est un homme charmant et un fin causeur.

LE *VISUEL* S'EN VIENT, SANS SUBVENTION

J'avais beaucoup d'autres préoccupations que celle de la direction littéraire. En plus de la production régulière, il y avait la grande équipe du *Visuel* (neuf personnes) qui s'acharnait à la réalisation du dictionnaire. Et comme dans tout projet majeur, il y avait des imprévus et des retards. Nous pensions le sortir en 1985, mais il nous a fallu prolonger la production de six autres mois. J'acceptais l'idée que les coûts dépasseraient largement les prévisions budgétaires, parce que durant ce temps-là, les succès s'accumulaient. L'idée de publier un livre de René Lévesque me rassurait.

Il y avait aussi *Le Dictionnaire des médicaments* du docteur Serge Mongeau qui connaissait une carrière remarquable, sans compter *Le Matou*, qui allait faire un bon bout de chemin en format poche.

Et les subventions ? J'avais adressé à Ottawa comme à Québec une demande d'aide pour le projet du dictionnaire. À Ottawa, on me fit savoir qu'il n'y avait aucun programme de subventions pour ce genre de projet. À Québec, le ministre Clément Richard m'avait communiqué sa réponse par l'intermédiaire d'un fonctionnaire : un tel projet au Québec était trop hasardeux. Il fallait laisser ça aux Français. J'ai finalement abandonné tout espoir d'une aide monétaire quelconque. J'ai plutôt intensifié mes contacts avec des éditeurs américains.

Il fallait absolument vendre aux États-Unis avant de songer à conquérir d'autres marchés. Claude Choquette et Donald Smith ont donc organisé un voyage à Boston et à New York. Partout, l'accueil fut excellent, mais c'est chez MacMillan, à New York, que l'intérêt fut le plus marqué. Nous avions une maquette élaborée et un contenu déjà assez substantiel. Les deux présidents, Bruno Quinson (*trade*) et Richard Eiger (*educational*) ont confirmé leur intérêt lors de cette rencontre. Quelques semaines plus tard, je recevais un appel de Quinson qui m'annonça que MacMillan publierait le dictionnaire. Eiger et lui-même étaient d'accord : il ne restait que des formalités à remplir. Nous nous sommes donc donné rendez-vous à San Franscisco pour la Foire du livre de l'American Bookseller Association (ABA).

Entre-temps, nous avions convenu d'un premier tirage (100 000 exemplaires) et d'une bonne avance sur les droits (200 000 $). Pour le rendez-vous à San Francisco, j'avais demandé à Quinson, qui connaissait de bons restaurants, de faire la réservation. Nous allions fêter notre entente. Il avait donc choisi le meilleur restaurant français de la ville. Sur place, j'ai commandé une bouteille de champagne pour saluer l'événement et boire à notre succès. Bref, la note, après quelques bouteilles de vin à 150 $, était assez salée. Le lendemain soir, Donald Smith, Claude Choquette et moi étions invités à une réception donnée cette fois par MacMillan dans un grand hôtel. Eiger et Quinson nous ont chaleureusement reçus en nous disant qu'ils voulaient nous présenter à leur président, monsieur Kaplan. Ce dernier s'est borné à nous dire qu'il avait vu au cours de la journée quelques planches du dictionnaire et qu'il n'aimait pas le dessin du voilier. Il a demandé à Quinson si le contrat était signé. *« Not yet, but Dick and I confirmed the agreement with Mr. Fortin. »* Kaplan, arrogant, ne prenant même pas la peine de nous parler, fit demi-tour en disant avec mépris qu'il n'en voulait pas. Eiger et Quinson étaient aussi consternés que nous. La fête était terminée.

Ébranlé par cet échec, je suis rentré à Montréal. Avant MacMillan, nous avions rencontré plusieurs autres éditeurs, mais notre liste de contacts était épuisée. Je gardais pourtant confiance, aussi avons-nous établi une nouvelle liste d'éditeurs, moins importants, mais qui seraient sans doute plus faciles à convaincre. Cependant, nos amis Eiger et Quinson n'avaient pas dit leur dernier mot. C'est Eiger qui me téléphona le premier pour s'excuser du comportement de son président. Il se disait très peiné de la situation et comme pour se racheter il m'informa qu'il avait pris l'initiative de communiquer avec Ed Knapman, éditeur chez Facts On File (FOF), une maison d'édition d'ouvrages de référence, dont les bureaux étaient également à New York.

Nous voilà donc chez FOF, quelques semaines plus tard. Eiger avait remis toute la documentation à Knapman qui, à notre arrivée, connaissait déjà bien le dossier. Quand celui-ci nous reçut en compagnie du président Howard Epsteins, la vente était déjà conclue. Il ne nous restait qu'à nous mettre d'accord sur le premier tirage et le pourcentage des droits. Évidemment, FOF n'avait pas l'importance de MacMillan qui, à cette époque, était une maison d'édition très prestigieuse. Alors, comme avance garantie, FOF nous proposa 75 000 $ avec un premier tirage de 45 000 exemplaires. Je n'étais pas en position de force pour négocier. Nous avions cependant la certitude que l'équipe de FOF ferait de l'excellent travail. Nous étions en novembre 1985. Le contrat fut signé quelques semaines plus tard, à New York où je suis retourné pour l'occasion avec Donald Smith. Radio-Canada, avec ses caméras, nous a alors suivis dans nos déplacements. En premier lieu, pour la signature et par la suite, au restaurant avec les dirigeants de FOF. Un éditeur de Toronto, Stoddart, signa également avec nous en ce même mois de novembre, nous versant une avance de 40 000 $. Au Québec, l'annonce du projet avait été accueillie avec scepticisme, mais notre accord avec un éditeur américain changea radicalement les choses. Pendant plusieurs années, nous avions été sans doute les seuls, Corbeil, Smith et moi, à y croire. Nous avions remporté une victoire, mais de ce fait, notre engagement avec deux importants partenaires devenait notre grande priorité : il fallait livrer le dictionnaire pour le 1er juin 1986.

100 000 $ POUR RENÉ LÉVESQUE

Quelle année tout de même ! Il y avait aussi le feuilleton René Lévesque qui continuait. Le plus grand de nos premiers ministres, véritable légende vivante, annonça officiellement son retrait de la vie politique au début de l'été. N'ayant pas oublié la promesse qu'il m'avait faite, j'ai tout de suite communiqué avec Jean-Denis Lamoureux, son responsable des communications. J'avais en tête de signer un contrat avant Francfort pour pouvoir négocier avec les éditeurs anglophones. Jean-Denis Lamoureux me confirma un rendez-vous avec René Lévesque dans un petit restaurant de la rue Saint-Paul, dans le Vieux-Montréal, vers les dix heures du matin. À cette époque, Lévesque habitait tout près de là, derrière la place Royale.

Nous étions à la fin de septembre. C'est un ancien premier ministre décontracté et de fort bonne humeur que je rencontrai. Il me demanda ce que je souhaitais comme livre, ce à quoi je répondis que ce qui m'intéressait le plus, c'était le récit de sa vie et de son expérience politique. « J'ai d'autres idées de livres en tête, répondit-il, mais je suis d'accord pour commencer avec ce sujet que je connais bien… » J'avais préparé une lettre d'entente qui définissait les grandes lignes d'un contrat à venir, et qui prévoyait une avance sur les droits de 100 000 $; je connaissais l'impact d'une pareille clause, qui montrait bien l'importance que j'accordais à ses « mémoires », un mot qu'il n'appréciait pas particulièrement.

Sa réaction à mon offre fut assez étonnante, inhabituelle pour un auteur : « 100 000 $, c'est trop. Vous prenez un trop grand risque et de plus, je n'ai pas une page d'écrite. » Je lui dis que le paiement de cette avance ne devait se faire qu'au moment de l'acceptation du texte final. Je lui ai demandé en outre d'éviter de parler du livre avant sa parution, soulignant l'importance pour moi d'avoir la maîtrise des communications. Surtout qu'il m'avait prévenu de son intention de ménager les personnes qui avaient partagé sa vie politique. L'annonce de ce contrat avec René Lévesque fit la une des journaux au Canada. Le chiffre magique de 100 000 $ apparaissait dans tous les titres des journaux francophones comme anglophones et dans les manchettes à la radio et à la télévision.

Je suis donc parti pour Francfort en octobre dans le but de trouver un partenaire au Canada anglais et peut-être en France. Donald Smith devait y recevoir les offres des éditeurs de Toronto et espérait même signer une entente sur place. Une dizaine d'éditeurs sont ainsi venus présenter leurs offres. J'avais esquissé, sur deux pages, le projet des mémoires de René Lévesque. Avec un auteur aussi célèbre, c'était suffisant pour faire monter les enchères. La première offre atteignait 40 000 $, une autre s'élevait à 50 000 $ et Anna Porter de Key Porter y alla avec une garantie de 70 000 $. Donald et moi nous nous consultions fréquemment. Nous avions dit aux éditeurs qu'ils auraient notre réponse finale le samedi midi. Or, le samedi matin, Avie Bennett, un multimillionnaire qui venait de se porter acquéreur de McLennan et Stewart, une importante maison d'édition de Toronto, demanda à me voir. Nous étions sur le point d'accepter l'offre d'Anna Porter. Bennett se présenta et nous demanda sans détour : *«How much did you guarantee Mr. Lévesque?»* J'ai dit : « 100 000 $. » *«I am ready to give you the same money, but we have to sign right now.»* J'acceptai d'accorder une option à Bennett. L'accord fut conclu officiellement au cours d'un séjour avec Donald Smith à Toronto, quelques semaines après la Foire de Francfort. J'ai ensuite convoqué les médias le 24 janvier 1986 pour la signature publique du contrat, en

Avie Bennett, René Lévesque, Donald Smith et Jacques Fortin

présence de René Lévesque. Le paiement des 100 000 $ que je partageais avec l'auteur arriva quelques semaines plus tard. Je ne lui avais rien versé encore, car notre entente spécifiait : « à la remise du manuscrit ». D'ailleurs, il ne voulait rien toucher avant d'avoir terminé.

René Lévesque venait de commencer la rédaction de son livre et déjà, une pression supplémentaire s'ajoutait avec le contrat de l'éditeur Bennett et l'intérêt redoublé des médias anglophones. Un jour, il est venu me voir avec une dizaine de pages. C'était bien, mais je voyais qu'il hésitait à utiliser le « je ». Je lui ai dit que pour rendre son récit plus vivant, il fallait qu'il utilise le « je ». « Monsieur Lévesque, le seul conseil que je puisse vous donner est celui-ci : écrivez comme si vous étiez devant un groupe de jeunes adolescents en leur racontant, dans un style direct et sur le ton de la confidence, l'expérience de votre vie tout en tenant pour acquis qu'ils en savent peu sur vous et votre cheminement. » Je m'adressais à un des meilleurs communicateurs de toute l'histoire du Québec. Il savait que c'était le style à adopter pour son livre, mais sa modestie légendaire le faisait hésiter.

* * *

En somme, l'action n'a pas manqué en 1985. *Le Matou* fut sur la liste des best-sellers pendant plus de quatre mois en plus d'obtenir le Prix du public au Salon du livre de Montréal. René Lévesque signa avec nous un contrat pour ses mémoires avec la plus importante avance jamais versée à un auteur au Québec. La vente, aux États-Unis, des droits du premier *Visuel*, version noir et blanc, a enfin été réalisée après bien des revers et d'heureux hasards. La maison lança aussi une nouvelle collection portant sur l'histoire d'entreprises, d'entrepreneurs et de gens d'affaires. C'est Daniel Larouche, le mari d'Arlette Cousture, qui m'avait proposé cette série de livres sur le succès de ceux et celles qui jouaient un rôle de premier plan dans l'activité économique. Larouche devait se révéler un collaborateur efficace, dévoué et d'une grande compétence.

Malheureusement, son travail d'économiste et de conseiller auprès de grandes entreprises, l'accaparait beaucoup. Peut-être avait-il aussi sous-estimé le travail considérable qu'exigent la direction d'une collection, les relations avec les auteurs et les communications. Voilà qui explique pourquoi quelques titres seulement furent publiés au cours de son mandat, lequel prit fin en 1990.

1986 : LES SUCCESSEURS DE GILBERT LaRocque

Après ma mésaventure avec Jacques Godbout, je me suis mis sérieusement à la recherche d'un directeur littéraire. Sur les conseils de mon ami Donald Smith, j'ai contacté André Vanasse, professeur de littérature à l'Université du Québec à Montréal et également collaborateur au magazine *Lettres Québécoises*. J'ai été séduit par son dynamisme et son expérience de la littérature. Il entra chez nous comme pigiste, puisqu'il continuait d'enseigner à l'UQAM. Mes relations avec lui furent excellentes. Toujours affable et de bonne humeur, il s'appliquait particulièrement à découvrir de jeunes auteurs talentueux.

J'avais aussi décidé de poursuivre la publication d'auteurs étrangers et Donald Smith était la personne tout indiquée pour prendre la direction de la collection « Littérature d'Amérique/ Traduction ». Je voulais donner une plus grande place à des romanciers étrangers. Alice Munro, Joyce Carol Oates, Anne Tyler et Isabel Allende étaient déjà au catalogue. Le travail de Donald ne tarda pas à porter fruit. Il publia, la même année, Lucy Maud Montgomery, Matt Cohen et Joan Barfoot, auteurs anglophones immenses et prestigieux. À ce propos, il faut que je dise un mot de Lucy Maud Montgomery.

ANNE... LA MAISON AUX PIGNONS VERTS

La venue chez Québec Amérique de l'auteure la plus célèbre du Canada anglais fut le résultat d'un autre de ces hasards

Anne...
La Maison aux
pignons verts

Lucy Maud Montgomery

roman

QUÉBEC/AMÉRIQUE

COLLECTION LITTÉRATURE D'AMÉRIQUE

qu'autrefois on appelait ici « providentiels ». Au cours de la Foire du livre de Francfort, j'ai fait la rencontre de Libby Oughton, l'éditrice de chez Ragweed, une petite maison d'édition de l'Île-du-Prince-Édouard, qui avait obtenu de la succession Montgomery les droits français de son roman le plus connu : *Anne of Green Gables*. Le contrat avec Hachette qui en avait publié un condensé dans les années 40 était devenu caduc.

Madame Oughton était donc allée à Francfort à la recherche d'un éditeur francophone pour ce grand roman. Or mon stand était situé tout près du sien. Je fus certainement le premier éditeur québécois à qui elle proposa les droits. D'abord, j'ai pensé lui dire non, connaissant mal, comme la plupart des Québécois, la littérature anglophone. Mais j'ai pris le communiqué qu'elle m'a remis et quelques minutes plus tard, j'ai rejoint Donald Smith qui prenait un café non loin du stand. « Donald, Lucy Maud Montgomery, *Ann of Green Gables*, ça te dit quelque chose ? » Il s'est exclamé : « Tu es sûr qu'on peut avoir les droits français de ce livre ? Sais-tu que ce roman est l'un des plus lus à travers le monde ? Qu'il a été traduit dans plus de 40 langues et vendu à plus de 40 000 000 d'exemplaires ? C'est le livre le plus lu dans le monde après *Alice au pays des merveilles* ! Au Japon, ce livre est une lecture obligatoire dans les lycées. Le personnage d'Anne est empreint de poésie et il est une source de motivation extraordinaire à cause de son attitude toujours optimiste. Savais-tu que le gouvernement polonais, durant la Deuxième Guerre mondiale, a remis à chaque soldat de son armée un exemplaire du livre, histoire de lui remonter le moral ? Où as-tu rencontré cette dame ? » Surexcité, Donald me quitta précipitamment pour aller au stand du Canada à la rencontre de Libby.

Je l'ai revu quelques heures plus tard au retour d'un rendez-vous. Il était fier de son coup. « C'est tout un *deal* que je viens de faire. Imagine ! Nous avons les droits mondiaux en français et j'ai une première option pour les 18 titres qui forment la suite du roman. Je ne voulais pas rater cette chance, aussi j'ai accepté ses conditions sans t'en parler. Tu verras, ce livre sera facilement vendable en France. » Smith, comme tout anglophone, avait lu ce livre dont la lecture était obligatoire dans les écoles du Canada anglais et qui est devenu un classique de la littérature mondiale. Devant l'éloge qu'il me faisait de l'œuvre de Montgomery, j'avoue que j'étais un peu gêné de mon ignorance. Aussi je m'empressai de le lire à mon retour de Francfort. Encore aujourd'hui, ce roman reste pour moi une œuvre incontournable. Je l'ai adoré comme des millions de lecteurs à travers le monde.

Au cours des années qui ont suivi, nous avons donc traduit et publié les 18 titres ainsi qu'une biographie de l'auteure. Cette œuvre majeure constitue un fonds littéraire important de notre catalogue. Smith avait raison : nous avons écoulé plus de 400 000 exemplaires de cette série depuis la parution du premier titre, en 1986. En France, les Presses de la Cité et le Club France Loisirs nous ont acheté les droits de coédition. Au Québec, faut-il s'étonner de constater que la presse ait complètement ignoré cette œuvre ? Aucun roman de Lucy Maud Montgomery, malgré son énorme succès, n'a figuré sur la liste des best-sellers. Pourtant, plus de 100 000 lectrices et lecteurs québécois ont apprécié l'histoire et les personnages créés par cette romancière unique.

LA PARUTION DU *DICTIONNAIRE THÉMATIQUE VISUEL*, 1RE ÉDITION

Les premiers mois de 1986 furent épuisants pour l'équipe chargée de préparer les versions française et anglaise du *Visuel*. Il fallait compléter la recherche terminologique dans les deux langues, finir les illustrations toutes dessinées à la main par les deux graphistes, et aussi faire la mise en page manuelle. Notre défi consistait, malgré les nombreuses vérifications, révisions et corrections, à livrer le livre à temps pour la fameuse convention de l'American Bookseller Association qui devait se tenir au début de juin 1986 à la Nouvelle-Orléans.

Dès que le nombre de pages a été arrêté, je me suis mis à la recherche d'un imprimeur qui puisse me garantir à la fois le meilleur prix et une bonne qualité d'impression. Le format choisi avantageait l'Imprimerie Gagné de Louiseville, propriété de mon ami Jean-Pierre Gagné. Mais j'avais aussi sollicité des soumissions de *L'Éclaireur* de Beauceville. Or deux employés de cette imprimerie, Jacques Grégoire et son cousin, avaient décidé de créer une nouvelle entreprise pour faire concurrence à *L'Éclaireur* devenu la propriété de Quebecor. Sachant que je devais accorder la commande sous peu, Jacques Grégoire communiqua avec moi pour m'apprendre la naissance de sa nouvelle entreprise et me dire qu'il avait besoin de ma commande pour démarrer. Il me fit un prix que je ne pouvais refuser, malgré les risques que comportait le fait de confier l'impression de mon projet à un imprimeur néophyte qui ne possédait même pas tout l'équipement requis. En bon beauceron et excellent vendeur, Grégoire me rassura et promit que tout son équipement serait bientôt en place et qu'il livrerait le tout à la date prévue.

Pendant que je négociais avec l'imprimeur, Jean-Claude Corbeil et son équipe terminaient les dernières vérifications. Avec la méthode de mise en pages en usage à cette époque, je me retrouvai avec une pile de planches contenant les illustrations et les textes, le tout en monochromie. C'était un précieux paquet qui m'avait coûté le double du budget original. C'est donc avec le plus grand soin que j'en fis une copie avant de partir pour la Beauce et me présenter chez mon nouvel imprimeur. En fait, où était-il ? Aucune enseigne sur l'immeuble. Et personne ne connaissait *Interglobe*, le nom que Grégoire avait choisi. J'ai dû aller l'appeler d'une station-service afin d'avoir l'adresse de son imprimerie fantôme. Une fois sur place, ce fut la surprise totale. Rien n'indiquait que ce grand hangar cachait une imprimerie moderne. J'ai bien vu une presse qu'on était en train de mettre au point, quelques rouleaux de papier ici et là et, dans une autre pièce, deux tables lumineuses pour faire le montage de films. C'était à peu près tout.

Des sueurs froides commencèrent à me couler dans le dos. En réponse à ma question angoissée, un employé me déclara que l'imprimerie ne serait pas prête avant au moins un mois. « Un mois ? L'impression doit se faire d'ici trois semaines, car j'ai bien l'intention de livrer le dictionnaire tel que promis, pour le 1er juin

Howard Epsteins, Jacques Fortin, Donald Smith et Ed Knapman

Ariane Archambault et Jean-Claude Corbeil

prochain, mon cher ami. » « Parlez-en au boss, il s'en vient. »
Jacques Grégoire, tout sourire, plein d'assurance, vint à ma rencontre. Je n'ai pas tardé à lui faire part de mon étonnement et de
mon inquiétude. Avec son aplomb et son optimisme habituels, il
me dit de ne pas m'en faire. Il avait tout prévu et la presse était sur
le point de fonctionner adéquatement. Et comme il n'avait pas le
temps d'imprimer les 95 000 exemplaires au complet, il avait déjà
planifié de faire un petit tirage de la version anglaise pour Facts On
File afin de respecter mon engagement et de continuer après la
convention de l'ABA… L'état des lieux était loin de me rassurer.
« Jacques Grégoire, je ne peux pas accepter que tout le montage
que je t'apporte aujourd'hui reste ici. Il faut trouver un endroit plus
sûr. » « Pas de problème, Monsieur Fortin, j'ai une meilleure idée.
Toutes vos boîtes contenant les montages seront placées dans une
voûte à la banque. Venez, je téléphone immédiatement au gérant,
c'est un ami. » Nous allâmes dans une pièce qui n'avait rien d'un
bureau, mais où se trouvaient une table avec deux chaises
et un téléphone. Grégoire semblait bien connaître ce gérant de
banque. Après quelques blagues, il lui annonça son arrivée avec les
boîtes qu'il voulait mettre en sécurité.

Je n'étais pourtant pas tout à fait rassuré. Pour la banque, oui,
mais j'avais toujours des doutes sur la capacité de Grégoire d'imprimer mon livre à temps. Je suis retourné à Montréal, mais j'appelais
tous les jours pour m'informer de l'avancement des travaux : production, montage des films et les épreuves que j'attendais
impatiemment. Plus la date du 1er juin approchait, plus l'angoisse
me torturait. Une semaine avant la date fatidique, Grégoire
m'appela : « Monsieur Fortin, nous serons prêts pour l'impression
bientôt, je vous envoie les épreuves par messager. Pouvez-vous
vérifier le montage rapidement et me ramener le tout dans deux
jours ? » « Mais, Grégoire, le 1er juin, c'est dans quelques jours.
C'est presque impossible d'y arriver. » « Ne vous en faites pas,
Monsieur Fortin, je vous promets vos exemplaires avant votre
départ pour la Nouvelle-Orléans et je vous attends en Beauce. »
Heureusement, toutes les planches avaient été soigneusement
vérifiées avant qu'on procède à la mise en pages des films. Avec

l'équipe, tout fut vérifié en quelques heures et je décidai de retourner en Beauce une journée plus tôt.

J'ai passé une nuit complète avec Grégoire et ses quelques employés chevronnés qui venaient de *L'Éclaireur* à mettre au point l'impression et faire les dernières corrections du montage. Le lendemain, qui était la veille de mon départ pour la Louisiane, tout était prêt pour l'impression finale. Grégoire allait prendre une soixantaine d'exemplaires, à la fin de la journée, et se rendre chez un relieur, dans l'Ouest de Montréal. Quant à moi, je suis retourné chez moi pour me préparer à prendre l'avion avec Donald Smith le lendemain à sept heures. Les six cartons de livres furent livrés à quatre heures du matin, en taxi, par le relieur. Quel soulagement !

Le livre était beau. J'étais fier et pourtant inquiet de le présenter à Ed et à Howard de FOF. Au cours du vol Montréal-Nouvelle-Orléans, j'ai feuilleté au moins dix fois le livre page par page, soulagé, satisfait et optimiste. Nous avons pris un taxi pour nous rendre au centre des congrès où se tenait l'événement. Le taxi nous déposa à l'entrée. Les cartons se sont retrouvés sur le trottoir. Donald entra et se rendit au stand de FOF pour chercher de l'aide. Il revint en compagnie d'Ed et Howard qui insistèrent pour nous aider à transporter les boîtes. Ils étaient aussi excités que nous. Déjà, au stand, une grande affiche étalant la page couverture annonçait la parution du *Visual Dictionary*. L'équipe de vente n'a pas mis de temps à sortir les livres et à les placer bien en évidence. Ils allaient au cours de cette foire rencontrer les libraires qui profitaient de cet important événement pour placer leurs commandes pour l'automne. Les libraires firent un accueil enthousiaste au *FOF Visual Dictionary*. Pour mon premier partenaire dans cette aventure, c'était son livre vedette. Nous avons aussi reçu la visite de Quinson et Eiger de MacMillan qui nous transmirent leurs félicitations en nous souhaitant bonne chance. Nous avons alors fêté pour de vrai, et la Nouvelle-Orléans est un bon endroit pour ça. Quelle joie pour moi de voir comme ce beau défi avait été brillamment relevé par Jean-Claude Corbeil, Ariane Archambault et toute l'équipe !

LA SAGA DE RENÉ LÉVESQUE
ET D'*ATTENDEZ QUE JE ME RAPPELLE*...

Au retour m'attendaient les autres livres. Je suivais avec beaucoup d'intérêt la progression du manuscrit de mon plus célèbre auteur, René Lévesque. À quelques reprises, je me suis rendu chez lui. Il écrivait à la main. Pas question pour lui d'utiliser un ordinateur. Il avait d'ailleurs refusé un équipement complet que la compagnie Apple lui avait offert. Corinne Côté, son épouse, se chargeait de la dactylographie. Elle a été sa première lectrice et je suis certain qu'elle a également été de bon conseil. Les pages que je recevais étaient plus que convenables. Lévesque avait trouvé le bon rythme et le ton juste. Il avait une telle facilité à manier les mots, à donner à son récit un style personnel et efficace.

Au cours des mois qui ont précédé le lancement, je reçus régulièrement des appels de journalistes qui s'informaient de l'évolution du manuscrit. Ils voulaient savoir si on allait apprendre des choses inédites. Sachant bien que la petite touche de scandale que recherchaient les journalistes en était complètement absente, je leur parlais surtout de la qualité littéraire du manuscrit. Pour la Presse canadienne, le 18 septembre 1986, j'avais préparé ces mots : « La sortie du livre de René Lévesque marquera, de façon spectaculaire, la rentrée littéraire de 1986. Dans un style très personnel, René Lévesque vous fera vivre, comme dans un véritable roman, les événements de sa vie. L'humour, l'ironie et l'émotion se mêlent, dans un rythme soutenu, aux images d'un récit révélant le talent du grand écrivain dont la vie politique nous a privés. »

Un mois avant le lancement, pour soutenir l'intérêt et aussi pour mousser la mise en marché, j'ai commencé à révéler le contenu au compte-gouttes. D'abord au journal *La Presse*, en exclusivité, la page couverture et un extrait de l'avant-propos. Au *Journal de Montréal* et à son pareil de Québec, une photo inédite de René Lévesque dans les bras de son père et une autre prise par mon fils François à son domicile, où l'on voyait Corinne vérifier avec son mari une page qu'elle venait de transcrire à la machine à écrire. Monsieur Lévesque, quant à lui, respectait la consigne de ne rien

Jacques Fortin avec René Lévesque et son épouse Corinne Côté, en 1986,
à leur résidence de la rue Saint-Paul dans le Vieux-Montréal

dévoiler avant la parution. J'avais pris mes précautions pour éviter toute fuite. Malgré tout, un quotidien de Toronto a réussi à se procurer quelques pages traduites de la première version remise au traducteur chargé de la version anglaise. Furieux, j'ai dénoncé ce journal en le menaçant de poursuites pour violation du copyright. L'extrait en question faisait allusion à un incident où des proches voulaient que René Lévesque se rende à l'hôpital pour y être examiné. Ils étaient inquiets pour sa santé, car il s'était beaucoup surmené au cours de la dernière année de son mandat. Le journal qui avait utilisé une première version de la traduction non revue par l'auteur avait parlé de kidnapping !

Un coup de fil de Jean Chrétien

Tout l'intérêt porté au livre de René Lévesque faisait évidemment mon affaire. Pendant ce temps, mon distributeur accumulait les préventes. À tel point que le tirage initial a dû passer de 50 000 à 75 000. Des milliers de lecteurs avaient déjà réservé leur exemplaire auprès de leur libraire. Je sentais l'effervescence et la pression qui montaient chaque jour un peu plus. C'est alors qu'un journaliste fit la une avec une déclaration que j'avais faite lorsqu'il m'avait demandé de faire une comparaison du livre de Lévesque avec celui de Jean Chrétien. Je savais par son éditeur de Toronto que les ventes annoncées de 100 000 exemplaires du livre de Chrétien avaient surtout été réalisées auprès des différentes associations libérales à travers le Canada.

Jean Chrétien, dans l'opposition à l'époque, avait invité ces associations à acheter son livre. Un livre qu'il avait signé, mais non écrit. Son éditeur de Toronto, Key Porter Book, m'avait informé des circonstances entourant la publication de cet ouvrage. J'avais alors dit au journaliste en question que je ne pouvais pas comparer les deux livres. Lévesque était un vrai écrivain, doué d'un talent évident, ce qui n'était pas le cas pour Jean Chrétien. La publication de cette entrevue dans les journaux m'a d'abord surpris. Je ne m'attendais pas à ce qu'on accorde une si grande importance à mes propos. L'allusion au livre de Jean Chrétien avait été faite « en passant » dans la longue conversation que j'avais eue avec le journaliste et je ne pensais pas qu'elle ferait la manchette des journaux le lendemain.

La réaction de Jean Chrétien fut brusque. À peine entré dans mon bureau, vers les neuf heures, je reçus un appel. « Ici Jean Chrétien, je veux parler à Jacques Fortin... As-tu lu les journaux ce matin ? » J'ai bien vu par le ton que ce n'était pas des félicitations qu'il voulait m'adresser. Pour gagner du temps, je lui ai répondu que non. Alors, il me dit : « Lis-les, je te rappelle dans une heure. » J'avais effectivement lu l'article dans *La Presse* avant son appel. Il me rappela au moment où René Lévesque était dans mon bureau. Chrétien semblait très en colère et utilisait un langage vulgaire et menaçant. Il exigeait que je me rétracte immédiatement, sinon il me poursuivrait en justice pour libelle et diffamation. Devant les propos impolis et belliqueux qu'il tenait, je lui ai demandé à deux reprises : « Êtes-vous monsieur Jean Chrétien, ex-ministre de la Justice ? » « Oui, c'est moé, je suis dans le privé maintenant et je vais t'actionner si tu ne te rétractes pas. » Je lui ai dit qu'il avait sans doute les moyens de me répondre par la voie des médias. « Si vous voulez me poursuivre, Monsieur Chrétien, je n'y peux rien, c'est votre décision. » Monsieur Lévesque, qui assistait à cette scène, rigolait. Il fit un geste qui montrait le peu de cas qu'il faisait de Jean Chrétien. Au bout du compte, j'espérais que ce dernier agisse ou fasse une déclaration. Mais il n'en fit rien.

À L'IMPRIMERIE

Quelques jours avant la date prévue de la conférence de presse et du lancement, j'avais organisé avec mon imprimeur, Jean-Pierre Gagné, une visite de l'imprimerie pour monsieur Lévesque. Il était enchanté de visiter les lieux et souhaitait que sa visite soit discrète. Quant à moi, je ne voulais pas rater si belle occasion d'avoir une publicité gratuite, sachant tout l'intérêt de la presse pour le livre. Je me suis donc arrangé pour que les médias le sachent. Ça faisait aussi l'affaire de Jean-Pierre Gagné. Une meute de journalistes et de caméras s'étaient massée à l'entrée de l'imprimerie, à Louiseville. Lévesque, accompagné de son épouse Corinne, eut droit à un tour guidé de la part du propriétaire qui expliqua toutes les étapes de la production de son livre, lequel au moment de la visite était justement sous presse. Des exemplaires se trouvaient aussi sur la chaîne de reliure et à l'étape de la mise en boîte. Lévesque semblait ravi et très intéressé. Jean-Pierre et moi avions placé des gardiens de sécurité à plusieurs endroits dans l'imprimerie pour empêcher toute fuite et éviter qu'un journaliste ne s'empare d'un exemplaire. L'auteur était d'une humeur communicative. Il s'est attardé à parler avec les employés de l'imprimerie et il accepta de tenir un point de presse, ce qui n'avait pas été prévu. À un moment donné, il me regarda avec un air complice pour me dire : « Comme sortie discrète, Fortin, c'est assez réussi. » Mon épouse, Gisèle, qui m'accompagnait, me fit remarquer que je m'arrangeais toujours pour publiciser le moindre événement entourant la sortie du livre.

La visite de l'imprimerie s'est terminée vers 13 heures, puis Jean-Pierre Gagné et son épouse Diane nous ont reçus à leur résidence pour le dîner. Ce fut fort agréable. René Lévesque et Corinne se sont portés volontaires pour préparer des dry martinis, leur boisson favorite. Le repas était délicieux. Pour les vins, Jean-Pierre, grand connaisseur, avait sorti quelques grands crus. Le tout fut à la hauteur du personnage et du succès assuré qui se préparait.

LE LANCEMENT

Tout se déroulait comme prévu. J'avais convoqué la presse pour le 15 octobre à 11 heures. Je me suis rendu au domicile de René Lévesque avec son chauffeur pour ensuite l'accompagner aux locaux de la Société Saint-Jean-Baptiste, situés sur la rue Sherbrooke. Il y eut d'abord la conférence de presse. Monsieur Lévesque était quelque peu impatient, irrité. Un quotidien anglophone avait relevé une erreur dans un chapitre concernant la capitulation de Goering, bras droit d'Hitler, face aux soldats américains. Lévesque avait écrit qu'il avait assisté à l'événement alors qu'en fait, il était arrivé sur les lieux quelque 20 minutes plus tard. Il remit dès l'ouverture de la conférence de presse une note apportant la correction. C'était une erreur anodine à laquelle les journalistes anglophones avaient donné une importance exagérée. La conférence de presse se déroula normalement. Tous les médias francophones comme anglophones étaient représentés. Plus de 60 journalistes assistèrent à l'événement qui donnait le coup d'envoi au livre dont les exemplaires avaient été livrés le matin même dans plus de 1 500 points de vente.

Le lancement public était prévu pour 17 heures au Club canadien. Nous avions invité 500 personnes environ, mais au total, plus de 1 500 se présentèrent. Beaucoup n'ont pu pénétrer à l'intérieur. Curieusement, quelques jours avant l'événement, monsieur Lévesque m'avait demandé de visiter les lieux du lancement. J'avais réservé tout le rez-de-chaussée et prévu d'installer le podium dans la salle du centre. Monsieur Lévesque insista plutôt pour que le podium soit placé près de la porte qui donnait sur la cour arrière. Souffrait-il de claustrophobie ? Je me rendis à sa résidence quelques minutes avant le lancement pour l'accompagner avec Corinne au Club canadien. Au cours du trajet, j'ai remarqué sa grande nervosité. Il avait été prévenu que le lieu débordait d'invités. Il aurait préféré un lancement moins grandiose et il m'en fit le reproche. Ne lui avais-je pas parlé de 500 personnes ?

La police m'avait prévenu que les trois agents affectés à l'événement ne suffiraient pas à la tâche. J'ai alors fait appel à Paul Ohl, écrivain mais aussi athlète au physique imposant. Il avait invité un ami, Daniel Robin, ancien lutteur olympique, à se joindre à lui pour assurer la sécurité de monsieur Lévesque. Je me suis vite rendu compte en arrivant sur les lieux que sans l'aide de mes deux cerbères, il aurait été presque impossible d'entrer. Plusieurs centaines de personnes attendaient à l'entrée et la file se prolongeait sur le trottoir. Dans la foule, j'ai même aperçu Pierre Péladeau. Les invités étaient si nombreux que nous avons mis plus de 30 minutes pour atteindre le podium. On se serait cru un certain 15 novembre 1976. C'était l'euphorie. Les anciens ministres de

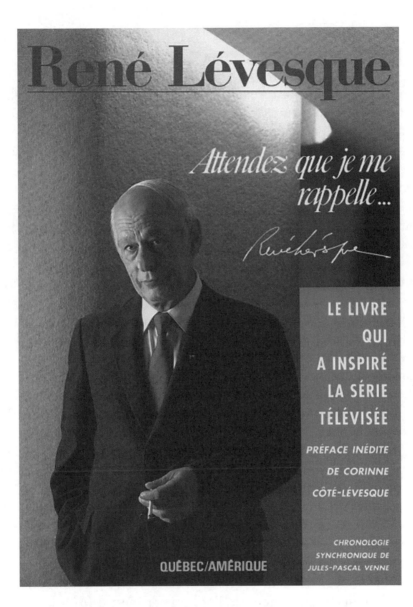

son gouvernement étaient tous là. On entonna spontanément : « Mon cher René, c'est à ton tour… »

J'avais préparé un petit discours pour présenter monsieur Lévesque, mais devant l'excitation des gens et vu l'impossibilité d'obtenir leur attention, je lui cédai aussitôt le micro. Longuement ovationné par la foule, il dut lui-même attendre plusieurs minutes avant de pouvoir dire quelques mots. Ce fut un happening sans précédent dans les annales de l'édition québécoise. Le charisme de René Lévesque était irrésistible.

J'ai retrouvé dans mes archives le mot que je voulais dire ce fameux soir. En voici quelques extraits : « Je suis tenté de parodier un discours célèbre et de vous dire que ce soir, je n'ai jamais été aussi fier d'être éditeur. J'ai le sentiment d'avoir contribué modestement à révéler *quelque chose comme un grand auteur*. Il n'arrive pas souvent qu'un éditeur fasse d'une pierre deux coups, qu'il publie un ouvrage politique qui ait en même temps une grande valeur littéraire. C'est le cas du livre de René Lévesque. Nous l'avons rangé dans notre collection "Essais", comme c'était naturel, mais nous aurions pu tout aussi bien l'inclure dans la collection "Littérature d'Amérique". Il possède cette grâce et cette vivacité qu'il est plus commun de trouver chez les romanciers que chez les auteurs d'ouvrages politiques. »

Le lendemain, au Complexe Desjardins, il y avait séance de signature. Encore là, ce fut saisissant de voir une si grande foule qui voulait, sinon parler à René Lévesque, du moins l'apercevoir. La file se prolongeait jusqu'à l'extérieur de l'édifice. Après plus de deux heures, nous avons dû mettre fin à la séance, laissant des centaines de personnes déçues. Le soir, c'était autour de la librairie Renaud-Bray, sur Côte-des-Neiges. La file de gens en attente s'étirait sur deux coins de rue ; elle avait bien 500 mètres. Il nous a fallu faire appel aux forces de l'ordre pour mettre fin à la séance et pour contenir une foule fort frustrée de ne pouvoir rencontrer l'ex-premier ministre devenu auteur.

L'engouement pour *Attendez que je me rappelle…* fut tel que l'imprimeur dut faire rouler ses presses jour et nuit pour répondre à la demande. En quelques jours, il s'en était vendu 75 000. Le tirage devait atteindre les 100 000 après une semaine. Voilà un record qui n'est pas près d'être surpassé. Ainsi la parution du livre de René Lévesque fut un événement incomparable en intensité. Pour la période des Fêtes, nous avons même mis sur le marché une version cartonnée sous jaquette et une édition de luxe, préparée par un collègue éditeur, Ara Kermoyan, de 100 exemplaires numérotés et signés par l'auteur. Les ventes au Québec seulement, toutes éditions confondues, dépassèrent les 200 000 exemplaires. J'avais raison d'être fier. La stratégie de mise en marché que j'avais privilégiée ainsi que mon travail d'éditeur m'apparaissaient comme une réussite. J'avais fait le maximum. Et toute mon équipe m'avait bien secondé.

LÉVESQUE ET BEAUCHEMIN AU CONSEIL D'ADMINISTRATION

Quelques semaines après le lancement et la tournée de promotion qui nous avait menés jusqu'à Toronto, j'ai reçu une invitation de Rodrigue Biron qui avait été, avant d'être ministre dans le gouvernement de René Lévesque, chef du parti de l'Union nationale. Son invitation était double. Il voulait que monsieur Lévesque voie les Studios Perry à Morin Heights, une boîte qui était à la fine pointe de la technologie, soi-disant pour l'intéresser à une production qui reprendrait son fameux « Point de mire » de Radio-Canada, mais avec des moyens de production nouveaux et sophistiqués. Quant à moi, il espérait que je me joigne aux investisseurs qu'il tentait de convaincre. Nous sommes donc partis pour les Laurentides. Le chauffeur de Lévesque et mon fils nous accompagnaient. Le midi, nous nous sommes arrêtés à un petit restaurant français que Lévesque connaissait. Nous avons bien mangé et surtout bu quelques bonnes bouteilles de vin. Quand nous nous sommes présentés aux Studios Perry, nous étions quelque peu éméchés. Monsieur Lévesque, incapable de feindre ou de faire semblant, leur fit savoir très directement qu'il n'était pas intéressé à s'associer à une production où le contrôle du contenu et les moyens techniques lui échapperaient.

Sur le chemin du retour, le vin faisant toujours effet, nous avons eu une franche conversation. Il avait l'impression que, dans la chaîne du livre, les auteurs étaient les moins bien traités. Il ne comprenait pas le mécanisme des coûts et des remises entre l'éditeur, le distributeur et le libraire. Je lui ai dit qu'il n'était pas le premier à me poser ces questions et qu'en général les auteurs ont beaucoup de mal à saisir les risques, le rôle et la contribution de chaque intervenant dans le commerce du livre. Je voyais qu'il ne comprenait pas bien la mission de l'éditeur ; ce dernier exerce une activité qui a des incidences économiques et doit se plier aux règles du commerce.

J'enchaînai en lui tendant cette perche : « Je reconnais que ce n'est pas toujours facile pour un auteur de saisir toute la complexité de notre métier. C'est pourquoi j'ai pris la décision (je venais tout juste de la prendre) de nommer deux auteurs à mon bureau de direction. » Il me répondit : « C'est une maudite bonne idée. Quels sont ces deux auteurs ? » Je fis une pause et lui répliquai : « Yves Beauchemin et vous. » « Il y a certainement d'autres auteurs plus qualifiés que moi pour occuper ce poste, mais l'idée de siéger avec Beauchemin ne me déplaît pas. » J'ai téléphoné chez lui le lendemain et c'est Corinne qui m'a répondu : « Tu lui as fait un grand plaisir en l'invitant à siéger à ton bureau de direction. » La veille, il semblait hésitant et je ne savais pas trop si ma proposition lui avait souri. J'ai téléphoné ensuite à Yves Beauchemin pour lui apprendre qu'il était dorénavant un membre de mon conseil d'administration avec monsieur Lévesque.

La première réunion s'est tenue dans mes bureaux. À dessein, j'ai placé Beauchemin au bout de la table. Lévesque était à sa gauche et moi à sa droite. Yves, un anti-fumeur notoire, allait subir la fumée de Lévesque durant toute la réunion. J'avais apporté les derniers états financiers et un tableau expliquant toutes les étapes de production d'un livre avec les coûts afférents. Je leur ai expliqué qu'en littérature, sur dix titres, cinq étaient déficitaires, trois faisaient leurs frais et deux dégageaient des bénéfices. Cette première réunion s'est poursuivie au restaurant. Beauchemin me fit savoir chemin faisant que si j'insistais pour le placer à côté de Lévesque durant les réunions suivantes, il n'était pas sûr de survivre. Au restaurant, il me devança pour se placer en face de l'ex premier ministre. Les quelques autres réunions qui ont suivi ne furent pas très sérieuses. Beauchemin et Lévesque étaient plus intéressés à parler de politique ou de littérature et à faire des blagues. J'avais inclus à mon conseil d'administration deux membres plutôt indisciplinés et farceurs. Je vécus quand même des moments fort agréables en leur compagnie. C'étaient deux personnes fort intelligentes et pince-sans-rire, mais je ne peux affirmer qu'ils ont compris tous les problèmes que vit un éditeur.

BILAN DE 1986

À côté des grands succès de René Lévesque et du *Visuel*, 36 autres titres dont plusieurs étaient exceptionnels se sont ajoutés au catalogue. Beauchemin publia, par exemple, *Au sommet d'un arbre*, récit basé sur son enfance. C'était un petit livre agréable qui connut un succès non négligeable avec plus de 10 000 exemplaires vendus. Nous avons aussi fait paraître un livre de Marcel Léger sur le Parti québécois ainsi qu'un essai de Pierre Vallières intitulé *Les Héritiers de Papineau*. Auprès des jeunes, nous avons connu deux grands succès avec *Bach et Bottine* et *Le Dernier des raisins*. Arlette Cousture publia à la fin de novembre le deuxième tome des *Filles de Caleb*. Les ventes du tome 1 dépassaient les 12 000 exemplaires. Forts de ce succès, nous avons imprimé 17 000 exemplaires du tome 2 et le livre bénéficia d'une importante mise en place pour la période des Fêtes.

1987 : LA MAISON McTAVISH

L'année 1987 a débuté par un déménagement. Nous avons alors quitté la rue Sherbrooke pour le Vieux-Montréal. Ma trouvaille fut le fruit d'un hasard étonnant. J'avais visité plusieurs locaux sans arrêter mon choix quand, au début de janvier, j'ai rencontré René Lévesque au restaurant Claude Postel. Après le repas, je l'accompagnai à pied jusque chez lui rue Saint-Paul. Il savait que je cherchais de nouveaux locaux, car les miens étaient devenus trop exigus avec l'expansion de mon entreprise. Tout en parlant, nous avons emprunté la rue Saint-Jean-Baptiste. Tout à coup nous avons vu une affiche annonçant des locaux à louer. J'en pris note.

Quelques semaines plus tard, Québec Amérique emménageait dans cette vieille maison dont le rez-de-chaussée avait conservé sa structure d'origine. C'était la maison Simon McTavish ; sa construction remontait à 1785. Ce marchand de fourrures était considéré comme l'homme d'affaires le plus important de la seconde moitié du XVIIIe siècle. Avec sa porte cochère et sa cour arrière, c'était un endroit absolument charmant pour une maison d'édition. L'imposant édifice a été conçu dans un style géorgien avec des murs en pierres de taille rustiques liées par un mortier abondant. Malheureusement, pour répondre aux besoins des nombreux locataires, elle avait subi au cours des années plusieurs transformations qui n'avaient pas été toujours heureuses. Néanmoins, elle devait nous faire vivre d'autres années magnifiques, souvent étonnantes.

LE *VISUEL*, LA RECONNAISSANCE ET LE PIRATAGE

En cette année 1987, j'étais particulièrement fier du succès de la première version unilingue du *Visuel*. Mon partenaire américain avait demandé un deuxième tirage de 30 000. Au Québec, les ventes dépassaient les 35 000 exemplaires. Et l'équipe préparait déjà des versions bilingues. C'est ainsi que nous avons conclu avec la maison Harrap de Londres une entente pour une version bilingue qui tînt compte des particularités de l'anglais britannique. FOF et Stoddart commandèrent également des tirages. À la Foire de

Francfort, le prestigieux éditeur Reader's Digest s'intéressa à notre produit en acquérant les droits pour le Mexique et l'Asie du Sud-Est (Hong Kong). Le *Visuel* devenait ainsi disponible en français, en anglais, en espagnol et en chinois.

Notre percée sur le plan international devait rapidement intéresser le milieu des affaires. Québec Amérique fut d'ailleurs la première maison d'édition à participer aux Mercuriades (événement annuel du milieu des affaires qui souligne la performance exceptionnelle d'entreprises). C'est ainsi que le *Visuel* s'est bientôt retrouvé finaliste pour le Mercure du produit par excellence à l'exportation avec le Cirque du Soleil. On nous décerna le prix, ce qui nous donna des ailes pour aller encore plus loin.

Côté production, je voyais bien le danger de perdre le contrôle de notre produit, étant donné que nous utilisions toujours une méthode traditionnelle de mise en pages. Il fallait trouver une façon de tout informatiser et créer une banque de données pour gérer les différentes langues. En 1987, l'ordinateur personnel de Macintosh était sur le marché depuis à peine trois ans et il servait principalement à faire du traitement de texte. Mais la compagnie Adobe venait de créer un logiciel permettant de réaliser des illustrations en couleurs à l'écran. C'étaient les premiers balbutiements de l'éditique.

Par ailleurs, nous avions des problèmes de droits. Je les avais cédés en Hongrie, en Roumanie, en Yougoslavie, en Turquie et en Pologne pour découvrir bientôt que ces éditeurs ne respectaient pas toujours le droit d'auteur et prenaient même l'initiative de faire des tirages sans nous en informer. J'appris que plusieurs centaines de milliers d'exemplaires avaient été imprimés à notre insu. Je me suis donc mis à la recherche d'une solution informatique complète qui, tout en nous permettant de mettre de la couleur sur nos illustrations, nous rendrait aussi capables d'offrir à nos partenaires un ouvrage fini. Nous espérions ainsi contrôler toute l'impression, car c'était la seule façon d'éviter le piratage.

MON FILS FRANÇOIS ARRIVE AU BON MOMENT

À l'automne de 1987, je me suis rendu à Paris, après la Foire du livre de Francfort, avec mon épouse Gisèle. Nous avions prévu y rencontrer notre fils François, en voyage en Europe depuis quelques mois. Il nous donna finalement rendez-vous dans un hôtel du 6e arrondissement. Il accomplissait un long périple en auto-stop à travers plusieurs pays. Il s'était initié à l'ordinateur en faisant de la mise en pages de romans. À Paris, je lui ai donc fait part de mon projet de tout informatiser. Persuadé qu'il n'était pas intéressé à embarquer dans cette aventure, je lui ai demandé s'il connaissait quelqu'un qui serait prêt à s'initier aux techniques nouvelles de l'édition. Je dois préciser ici que je n'ai jamais demandé à mes enfants de venir travailler avec moi. Leur insertion dans la compagnie s'est faite, comme je le souhaitais, tout naturellement. Avant notre retour à Montréal, il me fit savoir que ça pourrait l'intéresser et qu'il allait y réfléchir pendant la suite de son séjour à l'étranger. En fait, j'étais content de sa réaction. Je voulais qu'il s'intéresse à mes projets. C'était même mon plus grand désir.

François nous fit la surprise de revenir juste avant Noël 1987. Gisèle et moi étions bien contents de retrouver notre grand fils de 23 ans. Il arrivait au bon moment, car je venais d'accepter d'investir avec mon partenaire américain dans un projet de *Visuel* sur cédérom. La création d'un prototype avait englouti plus de 100 000 $. L'opération menée par une firme au Texas avait été un tel échec que nous avions décidé de mettre fin au projet. J'ai donc acheté le plus récent modèle Macintosh à François en lui disant : « Je te donne six mois pour trouver une solution au traitement de la banque de textes et à la mise en mémoire des illustrations. » Et pendant plusieurs mois, je l'ai laissé faire sans trop me préoccuper des résultats de ses réflexions et recherches. Il s'est rendu quelques fois en Californie et à différents MacWorld Shows avec l'espoir d'y découvrir de nouveaux logiciels et de nouvelles technologies. J'étais patient : mon fils s'intéressait à l'entreprise, c'était ce qui me rassurait le plus. Quant aux résultats, ils devaient heureusement apparaître au printemps de 1988.

LES FILLES DE CALEB:
UNE ENTREVUE ET NOUS VOILÀ PARTIS
POUR LA GLOIRE!

Dans l'intervalle, le succès des *Filles de Caleb* se maintenait au point d'intéresser tout à coup les médias. Arlette Cousture fut donc invitée à une émission de télévision animée par Andrée Boucher. Handicapée par la sclérose en plaques, Arlette se présenta en marchant péniblement à l'aide d'une canne. Elle était accompagnée par une amie en fauteuil roulant, atteinte plus gravement qu'elle. Des centaines de milliers de téléspectateurs découvrirent alors avec émotion une auteure atteinte d'une terrible maladie qui risquait à tout moment, selon ses dires, de l'empêcher d'écrire pour toujours, ajoutant qu'elle ignorait quand elle serait obligée, comme sa copine, de se déplacer en fauteuil roulant et qu'elle vivait continuellement sous cette épée de Damoclès. Bref, une émission remplie d'émotion et de moments pathétiques. Arlette, très à l'aise devant les caméras, sut attirer la sympathie de tous et provoquer un intérêt inattendu pour le roman dont elle ne manqua pas de parler. L'impact de cette émission fut déterminant. Dans les jours qui ont suivi, la demande pour son livre fut exceptionnelle. Les réimpressions se sont succédé à un rythme inouï. Le phénomène du bouche à oreille s'était mis en branle pour le plus grand plaisir de l'auteure et de son éditeur. L'année s'est ainsi terminée avec des ventes incroyables de 49 622 exemplaires pour le tome 1 et de 54 769 pour le tome 2. Le miracle des *Filles de Caleb* venait d'éclater.

Fallait-il penser au cinéma, à la télévision? J'avais créé un an plus tôt les Productions Québec Amérique avec le cinéaste Jean Beaudin. Arlette, qui avait sans succès présenté son livre à d'autres maisons de production, finit par s'adresser à nous. Malgré les ventes prodigieuses de son roman, elle vivait dans une grande insécurité financière, à cause, disait-elle, de sa maladie qui la menaçait d'invalidité. Elle insista donc beaucoup pour qu'un film ou une série télévisée se réalise. Au départ, Beaudin n'était pas très enthousiaste. Pour tâter le terrain, il me proposa de nous associer à des producteurs expérimentés. C'est ainsi que Lorraine Richard, Michel

ARLETTE COUSTURE

LES FILLES DE
CALEB

ROMAN

TOME I
Le chant du coq

QUÉBEC/AMÉRIQUE

ARLETTE COUSTURE

LES FILLES DE
CALEB

ROMAN

TOME II
Le cri de l'oie blanche

QUÉBEC/AMÉRIQUE

Gauthier et Monique Messier se sont joints à nous. Nous avons alors refait la répartition des actions. Je devenais minoritaire, mais cette nouvelle maison de production télévisuelle me permettait d'offrir à mes meilleurs auteurs la possibilité de revenus supplémentaires.

J'ai ensuite réussi à convaincre mes associés de porter le roman d'Arlette à l'écran malgré les nombreuses difficultés auxquelles nous avons dû faire face. J'ai même dû investir dans le préfinancement. Une option fut accordée à Radio-Canada. L'extraordinaire succès du roman, la qualité du récit et des personnages d'Arlette ont finalement convaincu Téléfilm Canada et des commanditaires de soutenir financièrement le projet. Comme j'étais à la fois éditeur et producteur, j'ai accepté que 100 % des droits soient versés à Arlette et je n'ai pas participé aux négociations. Arlette reçut 150 000 $ pour le tome 1, 250 000 $ pour le tome 2 et elle confia à Maître Claude Brunet le mandat de la représenter et de négocier les cessions de droits.

Puis, au Salon du livre de Montréal, en novembre 1987, je lui ai présenté Jean Picollec, directeur des Éditions de La Table Ronde de Paris, que j'avais convaincu de publier *Les Filles de Caleb* pour le marché français. Je voulais qu'Arlette le rencontre avant de signer le contrat. Elle le trouva si sympathique qu'elle prit l'initiative de lui offrir spontanément un voyage à la Baie-James, aux frais de Québec Amérique, bien sûr.

UN AUTRE COUP DUR : LA MORT DE RENÉ LÉVESQUE

Le dimanche 1er novembre 1987, à 23 heures, je me préparais à me coucher quand tout à coup l'image de René Lévesque apparut à la télévision que je m'apprêtais à éteindre. Elle remplissait tout l'écran avec, au bas, la mention « Bulletin spécial » sans le son. Quelques secondes passèrent, interminables. Puis un commentateur annonça l'incroyable nouvelle de son décès. Ce fut la consternation, chez moi comme dans tous les foyers du Québec. Je l'avais vu quelques jours auparavant lors d'une réception soulignant la parution du *Visuel* bilingue. Il m'était apparu en pleine santé et d'une bonne humeur débordante. Alors je pensai à Corinne, à son désarroi, à sa peine. Je trouvais injuste qu'il soit parti si vite, alors qu'il commençait à peine à jouir pleinement de sa retraite. Il était devenu un précieux collaborateur. En plus de faire partie du conseil d'administration avec Beauchemin, il était un lecteur non seulement prestigieux mais unique. J'ai eu l'impression, comme la plupart des Québécois, qu'un grand vide venait de se créer, qu'une grande tristesse allait nous habiter pendant longtemps.

Cette nouvelle monopolisa tous les médias. Les témoignages furent unanimes : le Québec venait de perdre un de ses plus grands hommes politiques. Il faut relire son livre pour comprendre combien il était attaché au Québec mais aussi pourquoi le Québec lui a rendu si fort cet attachement. Et pour saisir l'importance et l'étendue de l'œuvre de ce grand démocrate, il faut se référer à la biographie de l'écrivain et journaliste Pierre Godin qui y a consacré plusieurs années de recherche avant de publier en trois tomes son ouvrage si bien documenté sur René Lévesque.

Le gouvernement Bourassa décréta des funérailles nationales. La dépouille fut exposée dans le hall d'entrée de l'édifice du ministère de la Culture et des milliers de Québécois s'y rendirent pour lui présenter un dernier hommage. J'y allai avec Yves Beauchemin pour offrir à Corinne et à sa famille nos condoléances. En quittant l'édifice de la rue Notre-Dame, nous avons descendu la rue Saint-Jean-Baptiste en passant devant mes bureaux et nous avons emprunté la rue Saint-Paul vers l'ouest. Nous avions convenu d'aller prendre un café au petit restaurant que Lévesque fréquentait. Nous avons été tellement touchés par cette immense foule silencieuse, respectueuse et patiente, qui attendait en une longue file qui s'étirait au-delà de nos bureaux jusque sur la rue Saint-Paul. Mais c'est un clochard accroupi dans l'embrasure d'une fenêtre au rez-de-chaussée de l'édifice où René Lévesque avait sa résidence qui nous a le plus grandement émus. Le pauvre homme pleurait. C'était un anglophone qui répétait sans cesse : « I lost my friend. » Spontanément, Yves et moi lui avons donné une bonne aumône. J'avais déjà été témoin d'un acte de charité de la part de monsieur Lévesque auprès d'un clochard. Il avait vidé ses poches de toute la monnaie qu'il avait en s'excusant de ne pouvoir donner plus. L'image de ce clochard et du geste si spontané de son bienfaiteur s'est imprégnée dans ma mémoire parmi tant d'autres.

BILAN DE 1987

Les succès du *Visuel* ainsi que des livres de René Lévesque et d'Arlette Cousture s'ajoutaient aux 45 autres manuscrits inscrits à notre programme d'édition. Dans le domaine des essais, Louis Bernard signa un ouvrage ayant pour titre : *Réflexions sur l'art de se gouverner*. Influent fonctionnaire pendant plusieurs années auprès de René Lévesque, Louis Bernard connaissait bien son sujet. Bernard Landry nous avait, lui, proposé *Commerce sans frontières*, un livre convaincant pour expliquer et décrire de façon claire et simple les enjeux du libre-échange dont il était un ardent défenseur. Ce sujet alimentait des débats passionnés à la Chambre des Communes. Qu'on se rappelle l'opposition farouche de Jean Chrétien qui promettait de mettre fin à ce projet si son parti était porté au pouvoir. On connaît la suite. Bernard Landry a contribué largement à désamorcer les craintes de ceux qui s'y opposaient et triomphé des nombreux préjugés qui ont marqué le débat sur cette question. Voilà un livre qui est arrivé au bon moment et qui a ainsi connu un succès mérité.

En littérature, sous la direction d'André Vanasse et de Donald Smith, nous avons publié 12 titres dans la collection « Littérature d'Amérique » et 3 dans la collection « Deux Continents » dont un roman d'Alice Parizeau, *Nata et le professeur*. Le roman de Monique Proulx, *Le Sexe des étoiles*, fut bien reçu par la critique. Le livre devait faire l'objet d'un long métrage quelques années plus tard. Nous avons aussi publié un roman de Jack Kerouac, *Pic*. Vanasse découvrait et publiait aussi de jeunes auteurs comme Daniel Poliquin, avec ses *Nouvelles de la capitale*, et Andrée Michaud, avec *La Femme de Sath*.

Bref, les résultats de l'année 1987 donnèrent un élan considérable à notre entreprise. Sur le plan strictement financier, le chiffre d'affaires fit un bond vertigineux, passant de 2,2 à 6,7 millions. J'avais réussi à produire le *Visuel* en évitant de recourir à une marge de crédit bancaire ou à des prêts. Les coûts reliés à ce nouveau type d'ouvrage avaient nécessité un engagement financier de 825 000 $. De plus, notre fonds d'édition avait été très actif. Nous avons réimprimé plus de 200 000 exemplaires regroupant une vingtaine de titres. Cette santé financière m'a permis d'envisager une expansion à l'international. Car, après tous ces grands succès, je savais que le marché du Québec ne pourrait soutenir longtemps une croissance aussi spectaculaire. Je désirais relever d'autres défis et pour ce faire j'étais convaincu qu'il fallait prendre le virage des nouvelles technologies de l'informatique en pleine émergence. La base de cette expansion serait le *Visuel*. J'attendais donc l'aboutissement des ruminations et cogitations de mon fils François avant d'arrêter une stratégie de développement.

1988 : CORINNE CÔTÉ-LÉVESQUE, ÉDITRICE

La femme de René Lévesque m'avait déjà fait part de son grand intérêt pour la littérature et le livre en général. Avec mes projets à l'international en plus de mes autres tâches quotidiennes, la direction de la collection « Deux Continents » que j'assumais devenait trop lourde. Aussi ai-je offert à Corinne de travailler avec moi. J'étais d'autant plus content qu'elle venait renforcer remarquablement notre équipe éditoriale. Durant son trop court passage chez nous, j'ai pu apprécier son professionnalisme et sa grande intégrité intellectuelle. De nature réservée et discrète, elle a vite obtenu la confiance des quelques auteurs qu'elle a dirigés.

D'abord, le roman de Claude Fournier, *Les Tisserands du pouvoir*, qui a connu un très grand succès. Un roman sublime, une saga relatant l'émigration massive des Canadiens français vers les filatures de la Nouvelle-Angleterre et leur assimilation plus ou moins volontaire. C'est aussi le récit de la rencontre de deux cultures avec l'arrivée d'une grande famille de tisserands français à Woonsocket. D'une écriture limpide et efficace, le roman nous fait vivre l'appauvrissement de ces paysans, partis à la conquête de la fortune, jusqu'à l'écroulement de leurs rêves et la perte de leur langue. On en a aussi fait un film. Le livre comme le film connurent également une belle carrière en France. Corinne, qui faisait partie du comité de lecture, dirigea également la publication du roman d'Alice Parizeau, *Nata et le professeur*, un autre succès dans la collection « Deux Continents ». La collaboration de Corinne à Québec Amérique fut malheureusement de courte durée, car elle fut nommée au cours de l'année juge à Immigration Canada.

ALICE PARIZEAU

J'aimerais ajouter un mot à propos d'Alice Parizeau qui, contrairement à Corinne, m'a fait vivre des moments éprouvants et pénibles. La première fois, c'était avant qu'elle présente ses manuscrits chez nous. Elle m'avait appelé pour m'inviter à un petit-déjeuner au Ritz avec son éditeur d'alors, Pierre Tisseyre. J'ignorais ses intentions réelles : elle disait que je devais rencontrer son éditeur pour que nous partagions nos connaissances de l'édition internationale. Elle avait en tête le succès du *Matou* et surtout les nombreuses traductions qu'on en avait fait. Elle voulait être publiée dans plusieurs pays, comme Beauchemin. J'appréhendais un peu cette rencontre, car elle m'avait appelé à plusieurs reprises pour que je m'occupe de vendre les droits de son roman publié chez Tisseyre. Or j'estimais que les ambitions de madame Parizeau pour son roman, *Les Lilas fleuriront à Varsovie*, étaient quelque peu démesurées.

Elle ne comprenait pas pourquoi son roman ne connaissait pas une aussi belle carrière que *Le Matou*. Au cours du repas, elle se tourna vers Pierre Tisseyre et lui dit : « Monsieur Fortin a vendu *Le Matou* dans plusieurs pays et j'aimerais qu'il vous explique comment il a réussi à le faire. » Je ne m'attendais pas à me retrouver dans une situation si embarrassante. J'ai immédiatement répliqué à madame

La Rentrée 1986. Denis Monière, Yves Beauchemin, Arlette Cousture,
Alice Parizeau et René Lévesque

Parizeau que je n'avais absolument rien à apprendre à son éditeur. Pierre Tisseyre demeurait silencieux et moi je me suis empressé de détourner la conversation sur des sujets moins gênants.

Quelques années plus tard, un an avant son décès, elle demanda encore à me voir de toute urgence. Elle exigea que la rencontre ait lieu en dehors de mon bureau, disant qu'elle ne pouvait m'en révéler les raisons au téléphone. J'ai proposé le bar Brandy, à quelques pas de mon bureau. Quelque 20 minutes plus tard, elle se présentait au rendez-vous. Madame Parizeau communiquait régulièrement avec moi, m'enjoignant chaque fois de faire des efforts pour que ses livres soient publiés à l'étranger. Le succès du *Matou* me suivait partout et beaucoup d'auteurs faisaient pression pour que je répète le même exploit avec leurs livres. Je m'attendais donc à une autre rencontre pour discuter de traduction et de sa carrière à Paris. J'avais présenté ses livres à plusieurs éditeurs étrangers, mais sans succès. Pierre Tisseyre avait sans doute fait la même chose.

Je me trompais. Cette fois-ci, elle voulait m'annoncer une terrible nouvelle : « J'ai le cancer, dit-elle. Vous êtes la première personne à le savoir, après ma famille immédiate. » Elle était désemparée. « Je songe, disait-elle, à me suicider. Que me conseillez-vous ? Je ne peux pas vivre en pensant à ce qui m'attend. » J'étais complètement atterré. Je ne savais que lui dire. Je l'ai écoutée pendant plus d'une heure. Elle ressentait, après ce verdict impitoyable, un sentiment d'urgence. Elle prétendait (elle le disait souvent) que son succès au Québec était attribuable au fait qu'elle était la femme de Jacques Parizeau. C'est pourquoi elle insistait tellement pour que ses romans soient publiés à l'étranger et particulièrement dans son pays d'origine, la Pologne. Si elle souhaitait tellement cette reconnaissance d'ailleurs, c'était, je crois, pour se prouver à elle-même qu'elle avait du talent. C'était une écrivaine déchirée par le doute et l'insécurité, aussi son besoin d'être rassurée était-il immense.

Je suis retourné à mon bureau, mais incapable de travailler, j'ai aussitôt quitté les lieux pour aller à mon domicile, toujours sous le choc. Je désirais faire quelque chose pour elle. Aussi j'ai communiqué avec trois éditeurs à Paris, leur offrant de partager les coûts afin d'obtenir plus facilement leur acquiescement. Toujours sans succès. Je dus finalement lui avouer que j'avais épuisé tous mes contacts et lui suggérai de voir un autre éditeur ou un agent. Elle m'en a voulu et je fus bien triste de cette situation.

LA TABLE RONDE
PUBLIE ARLETTE COUSTURE

Cette même année, le feuilleton d'Arlette continua. Je me souviens de certains propos et incidents qui montrent qu'on ne s'ennuie vraiment pas dans l'édition. Le 28 février, nous avions signé avec La Table Ronde un contrat pour la publication des *Filles de Caleb*. Arlette fut invitée en France pour la sortie de son livre. Elle m'informa alors qu'à cause de sa maladie, elle ne pourrait pas prendre l'avion. Elle voulait faire le voyage en auto de Montréal à New York. De là, elle prendrait un bateau de croisière jusqu'à Anvers pour se rendre ensuite à Paris en train. Elle désirait aussi être accompagnée de notre attachée de presse Nicole Mailhot, le tout à nos frais évidemment. Je refusai et, après consultation avec La Table Ronde, le voyage fut annulé. Mais quelques semaines plus tard, elle me téléphona pour me dire qu'elle avait changé d'avis. Malgré son état de santé fragile, elle acceptait de prendre l'avion pour Paris, en classe économique. À son retour, elle me dit à quel point son séjour l'avait déçue. Elle s'était attendue à recevoir le même accueil qu'Yves Beauchemin, à rencontrer les plus grands critiques ou à participer à la célèbre émission littéraire de Bernard Pivot. Malheureusement, le tout-Paris littéraire l'avait complètement ignorée. Elle n'avait fait que quelques entrevues à la radio et dans des médias de second plan.

Puis, en avril, elle accorda au magazine *Châtelaine* une longue entrevue où «…elle fustige les personnes qui l'ont accusée d'avoir sorti sa canne de malade au bon moment, histoire de mousser sa publicité». «Je leur ai dit trois mots : merde, merde et remerde», rapportait la revue. Et la journaliste qui signait l'article brossait un portrait d'Arlette en tentant d'expliquer son succès fulgurant. Le reportage se terminait sur un commentaire de l'auteure des *Filles de Caleb* au sujet de Québec Loisirs, un éditeur qui vend des livres aux adhérents de son club seulement. Son roman venait d'être publié dans leur catalogue en première sélection. « Les gens se font des idées. Ils ne réalisent pas que les livres qui sont vendus via Québec Loisirs m'ont rapporté 25 cents l'exemplaire. Ça fait quatre livres pour un dollar, [...] À part les parcomètres et les téléphones, il y a juste les écrivains qui coûtent 25 cents au Québec... ». Madame De Laborderie qui dirigeait le Club du livre Québec Loisirs, en 1988, n'a pas tellement apprécié ces commentaires qu'elle jugeait à la fois vexatoires et fort exagérés. J'en ai fait part à Arlette, lui disant que j'espérais que ses déclarations ne se rendent pas à Paris, car à cette époque, je tentais d'intéresser France Loisirs, le plus important club de livre au monde, à la coédition de son roman en France.

UNE ÉDITION POPULAIRE POUR LES *FILLES DE CALEB*

Le 2 mai, Arlette Cousture nous céda les droits de publication de son roman en format compact. Aucun problème particulier ne marqua la signature de ce contrat. J'avais bien expliqué à Arlette que les libraires réclamaient une édition populaire de son livre. Je lui avais aussi démontré l'impossibilité pour nous de réimprimer l'édition régulière sans en augmenter le prix de vente. Ce nouveau format, à cette étape de la carrière du livre, se justifiait donc pour rejoindre le marché scolaire, ce qui allait augmenter significativement son bassin de lecteurs. La décision s'imposait donc, en toute logique. D'autant plus que son mari, un économiste, partageait mon point de vue et approuvait ma stratégie. Arlette a ainsi eu le projet de contrat en main plusieurs semaines avant la signature et a donc pu prendre une décision éclairée. Elle a accepté de recevoir des droits de 7 pour cent sur le prix de vente, sachant bien que ces droits seraient inférieurs à ce qu'elle touchait pour l'édition en grand format. C'est ainsi qu'elle signa cette entente en toute connaissance de cause et de bonne foi. C'est pourtant ce contrat qu'elle devait contester quatre ans plus tard en nous intentant un procès pour obtenir plus d'argent.

L'édition en format compact a paru en juillet avec un premier tirage de 25 000 exemplaires, ce qui demandait une importante mise en place en librairie et dans les grandes surfaces. En quelques jours, 20 000 exemplaires de chaque tome furent distribués dans plus de 800 points de vente. *Les Filles de Caleb*, dans ce nouveau format à prix populaire, furent remarquablement bien accueillies par les libraires qui proposèrent alors le roman comme livre de vacances. Et en septembre, il se retrouva sur la liste des suggestions de lecture pour les étudiants du secondaire. Je fus enfin rassuré et l'auteure se déclara enchantée de cette deuxième carrière pour son œuvre. Le résultat remarquable des ventes pour l'année 1988 devait confirmer la justesse de ma décision prise en accord avec elle. Mais Arlette devait ensuite revenir là-dessus.

LE « MULTI »

Un autre livre devait connaître une histoire assez étonnante mais pour des raisons bien différentes. C'était encore un diction-naire et d'une certaine façon, c'était une autre retombée du *Visuel*. Il s'agit du *Multidictionnaire des difficultés de la langue française*, que nous appellerons familièrement le « *Multi* ». Tout commença en novembre 1986 quand Jean-Claude Corbeil m'a prévenu qu'une linguiste du nom de Marie-Éva de Villers allait me présenter un projet de dictionnaire. Jean-Claude lui avait demandé de préparer un argumentaire de son projet avant de me rencontrer. Quelques semaines plus tard, cette dame est venue me voir à mon bureau avec son dossier. Elle avait même fait faire une étude de marché. Le projet était fort bien présenté et très convaincant. Mon intérêt fut immédiat. J'ai parcouru rapidement ses textes de présentation et après cinq minutes à peine, je lui ai dit que j'acceptais, sans avoir réfléchi à l'investissement assez important qu'exigerait la publication d'un tel dictionnaire. C'était une décision intuitive et spontanée de ma part, mais je dois admettre que la qualité de présentation exceptionnelle du dossier m'avait séduit.

Comme je connaissais bien tous les dictionnaires de langues, ceux de Larousse notamment, ayant travaillé pour cette maison pendant cinq ans, j'ai vu au premier coup d'œil que son idée d'un « multidictionnaire » était vraiment originale et opportune. Malgré l'engorgement du marché par des publications venues de France, il n'existait aucun ouvrage d'une conception aussi novatrice que celui de Marie-Éva. L'idée d'y inclure la totalité des difficultés de la langue française lui donnait un avantage considérable sur les produits concurrents. De plus, il répondait précisément aux besoins des usagers de la langue française au Québec. La maison Larousse, à Paris, fut elle aussi séduite par le concept de l'ouvrage et le publia sous le titre *Dico pratique Larousse*, avec un premier tirage de 80 000 exemplaires. La version française fut entièrement réalisée au Québec par notre équipe, ce dont je suis très fier.

La parution du *Multi* fut saluée avec enthousiasme par les médias. *La Presse* a titré : « Québec Amérique invente le *Multi-dictionnaire*. Une idée de génie… » Paul Morisset dans le magazine *L'Actualité* ajoutait : « …c'est un véritable " comptoir unique " où l'usager moyen trouvera solution à la plupart de ses problèmes. Et rapidement, car les tableaux sont bien conçus, la typographie claire, les exemples nombreux. » *Le Devoir*, sous la plume de Marie Laurier, déclarait : « Cet ouvrage […] présente l'originalité de désamorcer rapidement toutes les difficultés, embûches ou hésitations des mots d'usage courant et pourtant problématiques quand il s'agit de les écrire, de les faire accorder ou de les prononcer. » Paul Pupier, directeur du module de linguistique à l'Université du Québec à Montréal, avait bien raison de faire ce compliment à Marie-Éva : « Réaliser un ouvrage de cette ampleur demande beaucoup d'intelligence, de ténacité et de courage. »

Au départ, Marie-Éva travaillait à l'Office de la langue française (OLF) au service de la consultation. Or cet organisme recevait annuellement plus de 100 000 demandes de renseignements linguistiques. Marie-Éva notait les questions les plus

Marie-Éva de Villers

fréquemment posées et c'est à partir de cette expérience unique qu'elle mit au point son dictionnaire. Elle prit donc congé de l'OLF pour se consacrer entièrement à la rédaction du *Multi*. Nous avons alors convenu de retenir les services de Liliane Michaud qui a agi depuis comme chargée de projet pour ce dictionnaire. Elle-même spécialiste de la langue, Liliane était là dès le début, se chargeant de gérer les données et de diriger l'équipe de lecteurs, de correcteurs et de réviseurs. Elle est aussi devenue l'auteure des *Cahiers du Multi* qui présentent des activités ludiques pour découvrir et exploiter toute la richesse du dictionnaire. Liliane a donc été une personne clé dans la mise au point de cet ouvrage génial qui, après 12 ans, continue à évoluer, à s'enrichir et à s'adapter.

De fait, après trois éditions, le *Multi* est devenu ce qu'annonce maintenant son sous-titre : un dictionnaire de la langue française. L'ouvrage a atteint aujourd'hui une autorité incontestable. Il comporte une partie plus étoffée sur les constructions syntaxiques, les formes figées et fautives ou encore sur les québécismes. La quatrième édition, prévue pour 2001, fera du *Multi* le dictionnaire de la langue française le plus complet sur le marché. Une version cédérom est prévue pour couronner le grand succès du livre qui va bientôt atteindre le cap du demi-million d'exemplaires.

DU MacWORLD SHOW
À LA FOIRE DE FRANCFORT

Que devenaient François et son projet pendant tout ce temps ? Il y avait maintenant plusieurs mois qu'il travaillait seul à mettre au point une version informatisée du *Visuel*. À l'époque, c'était un défi démesuré. Au printemps, il m'annonça qu'il avait enfin réussi à créer des illustrations en format vectoriel et qu'il était aussi possible d'exécuter la mise en pages à l'écran. Il avait configuré une méthode de production en combinant différents logiciels. Pour la première fois, on pouvait réaliser à l'écran à la fois la conception en couleurs des images et la mise en pages avec texte et commander du clavier de l'ordinateur une épreuve ou un film prêt pour l'étape d'impression. Aujourd'hui, avec les progrès phéno-ménaux de l'informatique, ce sont des opérations de routine, mais en 1988, les ordinateurs avaient moins de mémoire, leur système d'exploitation était peu puissant et ils avaient souvent du mal à faire fonctionner des logiciels pas très fiables.

Je me suis présenté avec François au MacWorld Show à San Francisco, en mars 1988 avec quelques pages du projet d'un premier *Visuel* tout en couleurs. Rien de comparable avec notre production d'aujourd'hui, mais c'était tout de même excellent pour l'époque. Plusieurs compagnies présentes à ce salon n'en étaient qu'à leurs débuts. Nous nous sommes rendus chez Adobe, le créateur du logiciel *Illustrator* qui allait devenir la norme quelques années plus tard chez les graphistes. À l'époque, Adobe était la petite compagnie qui avait mis au point ce logiciel. Et c'est le président qui nous reçut au moment où un représentant faisait une démonstration de leur logiciel.

J'ai alors sorti les quelques pages que François avait réalisées. Le président fut très impressionné par la qualité des illustrations et le rendu des couleurs. Il a questionné François, qui n'a pas manqué de lui dire que son logiciel avait des limites. Il a reconnu que l'exemple qu'on lui apportait était de loin le plus net et le plus précis jamais réalisé avec son logiciel. Il s'empressa de montrer notre travail à ses collaborateurs. Pour atteindre une telle qualité, il avait fallu consacrer des semaines à une seule illustration. Le président d'Adobe devait évidemment s'en douter. Et c'est ainsi que François, et par la suite toute son équipe, sont devenus des consultants privilégiés d'Adobe pour évaluer et analyser les versions subséquentes de leurs logiciels.

Nous sommes revenus à Montréal rassurés et décidés à aller de l'avant. Deux collaborateurs se sont alors joints à François afin de préparer un document de 16 pages pour Francfort. Nous avions également informé Apple de nos travaux. Pour eux, notre projet était un exemple fort intéressant pouvant servir à la promotion de leur ordinateur. La compagnie a donc fortement appuyé notre projet en nous vendant directement ses ordinateurs à bas prix et en s'associant à nous pour des présentations lors de foires

Francfort, octobre 1988.
Un groupe d'éditeurs étrangers assistent à une présentation du premier livre couleur
entièrement créé et mis au point à partir d'un ordinateur.

internationales. C'est ainsi qu'en octobre 1988, nous sommes allés présenter aux éditeurs étrangers quelques pages d'un premier *Visuel* entièrement réalisé à l'ordinateur. D'Allemagne, des invitations furent envoyées aux plus importants éditeurs à travers le monde.

C'était une première. Nous allions faire la démonstration qu'il était possible de concevoir une image de synthèse, de gérer du texte et d'en faire la mise en pages à partir d'un ordinateur. C'était révolutionnaire, car ce nouveau procédé allait, au cours des années à venir, changer complètement les méthodes de production chez la plupart des éditeurs. Cette démonstration suscita donc une énorme curiosité. Les présidents de Larousse, Nathan, Robert et Gallimard, mais aussi des représentants de Garzanti, de Zanichelli d'Italie et plusieurs autres éditeurs allemands, anglais, suédois, norvégiens et américains se sont regroupés dans notre stand pour assister à une présentation du premier livre couleur entièrement créé et mis au point à partir d'un ordinateur. Nous étions très fiers de notre exploit. Notre projet d'une version couleur d'un nouveau *Visuel* pour les jeunes allait facilement trouver preneur.

Cette première version couleur de 160 pages parut à l'été de 1989. Avec comme partenaires initiaux : Facts On File de New York, Stoddart de Toronto, Larousse et France Loisirs. Cette version avait pour nous valeur de prototype avant la réalisation projetée du grand dictionnaire visuel de plus de 800 pages. Mais nous avions confiance, toute la confiance du monde. François avait relevé mon défi et bien gagné ses épaulettes.

À *L'OMBRE DE L'ÉPERVIER*

Du côté littéraire, l'année 1988 fut celle où Noël Audet, un écrivain majeur du Québec, publia son magnifique roman, *L'Ombre de l'épervier*. Cette fresque historique et sociale était l'œuvre d'un poète. Une histoire exceptionnelle dont le succès s'est prolongé jusqu'à aujourd'hui avec la série télévisée. L'intérêt et l'accueil du public lecteur furent remarquables dès la sortie du livre qui a été par la suite la sélection du Club du livre Québec

Édition de poche, présentation télé

Loisirs, en plus de connaître plusieurs réimpressions en trois éditions différentes. Avec plus de 100 000 exemplaires vendus, ce roman de Noël Audet se classe maintenant parmi les plus grands succès littéraires de notre maison.

La critique n'a pas manqué d'en faire l'éloge. Michel Laurin, dans la revue *Nos livres*, écrivait : « Exceptionnel et envoûtant ! Des personnages fascinants, parmi les plus émouvants que nous ait proposés la littérature québécoise. » *Le Devoir*, sous la plume de Jean-Roch Boivin, souligna la sortie du livre en déclarant : « Noël Audet a un talent exceptionnel de raconteur. Il en a le verbe riche, le discours enjôleur. Il fait un récit symphonique d'une grande beauté. » La critique littéraire de l'hebdomadaire *Voir*, Marie-Claude Fortin, n'a pas hésité à écrire ceci : « Son écriture n'est pas seulement irréprochable, elle vous tient sous son charme dès les premières lignes. » Mais c'est Réginald Martel, critique à *La Presse*, qui n'a pas craint de parler de chef-d'œuvre : « …ce que je voudrais tant aujourd'hui, c'est que les lecteurs de ce feuilleton me fassent confiance et qu'ils aillent à la rencontre de Pauline et de Catherine, de Noum et de Martin et de tous les autres […] M. Audet […] à vous le labeur et ses bonheurs […], à moi et à d'autres l'usufruit de votre beau chef-d'œuvre. »

QUAND YVES BERGER PRÉSIDE LE PRIX FRANCE-QUÉBEC

Je pensais donc réellement qu'un éditeur français s'intéresserait à *L'Ombre de l'épervier*. J'avais adressé le livre ainsi qu'un dossier de presse à plusieurs directeurs littéraires. Quelques mois plus tard, je me rendis même à Paris dans l'espoir de conclure un accord de coédition. Malheureusement, malgré un accueil toujours poli, aucun n'a donné suite à ma proposition. Je me rappelle en particulier d'une rencontre avec Yves Berger, directeur littéraire chez Grasset. Il occupait un bureau exigu et encombré de manuscrits et de livres. C'était la quatrième fois que je le rencontrais. Il était considéré dans le milieu comme un personnage peu scrupuleux, un magouilleur professionnel. En fait, c'est un homme chaleureux, un fin stratège des prix littéraires de l'automne. Il a fait passer le directeur littéraire du statut de lecteur à celui d'homme d'affaires, travaillant plus souvent avec son téléphone qu'avec son crayon. Il sait très bien manœuvrer dans un milieu éditorial où souvent tout s'achète, se vend, se calcule : talent, hommes ou œuvres.

Au cours de notre entretien, un employé est venu lui apporter un exemplaire du journal *Le Monde* où un article en première page lui était consacré. Sans aucune gêne, il le lut devant moi, se réjouissant de l'importance qu'on lui accordait. « Le connard, dit-il, a reproduit mon texte intégralement. » J'ai compris que le journaliste avait signé un texte préparé par Berger lui-même. Je savais aussi que ce journaliste avait présenté un manuscrit chez Grasset et qu'il espérait sans nul doute une réponse favorable.

Je fus tout de même étonné lorsque Berger ouvrit ensuite une grande boîte de livres venant du Québec, me demandant mon avis sur les livres qu'il sortait un à un. Si ma réponse était : « Je n'ai pas lu ce roman » ou « L'auteur est peu connu », le livre se retrouvait rapidement par terre. Sur les quelques 30 titres soumis pour le Prix France-Québec dont il présidait le jury, 3 ou 4 seulement devaient donc éviter la poubelle. Après cet exercice de sélection plutôt expéditif, il demanda à son assistante de débarrasser son bureau. C'est la dernière fois que je rendis visite à Berger, car je fus outré par son attitude désinvolte, son mépris des livres et des auteurs québécois. Je lui avais envoyé le roman de Noël Audet. Je le voyais d'ailleurs derrière lui, entre deux piles de livres. Il disait pourtant qu'il l'avait remis à un lecteur et qu'il souhaitait le lire. Je ne l'ai pas cru et je l'ai quitté, n'espérant plus rien du personnage en apparence si sympathique au Québec.

LE PHÉNOMÈNE MISTRAL

Un autre auteur allait retenir l'attention du milieu littéraire en 1988. Il s'agit de Christian Mistral et de son roman *Vamp*, une découverte du directeur littéraire André Vanasse. Ce jeune auteur d'à peine 23 ans à l'époque allait susciter des réactions instantanées et dithyrambiques. Georges-Hébert Germain, chroniqueur à une émission de Radio-Canada, s'exclamait : « Des mille livres que j'ai lus depuis *L'Avalée des avalés*, *Vamp* est le meilleur : c'est le plus complet, le plus beau et le plus intéressant. Christian Mistral peut être comparé à Jack Kerouac ; *Vamp* à *On the Road*. Tous deux font la même démarche, poursuivent les mêmes buts et possèdent la même écriture. *Vamp* est le livre de la génération des 20 ans de Montréal. Extraordinaire ! »

Pour Jean-Roch Boivin, du *Devoir*, « De tous ces romanciers de la dernière fournée, Christian Mistral […] a écrit le premier roman le plus délirant […] et le plus risqué en termes d'ambition. En fait, toute la puissance et le charme délétère tiennent au style…». Et dans le même journal, Marie Laurier ajoutait : « Pour son premier coup d'essai, celui que l'on compare déjà à un Jack Kerouac moderne a signé un livre débordant de vitalité, de bruit et de mouvement, laissant le lecteur ébaubi de tant de culture et de vocabulaire. » Michel Dumas dans *Voir* et Jean Barbe dans la revue *MTL* résumaient très bien le choix et le flair de Vanasse : « Un roman choc, foisonnant, […] dont les phrases s'emballent, palpitent, frémissent […] Il y a dans *Vamp* des pages d'une rare intensité. » « À la manière de Henry Miller, à la manière de Kerouac, Christian Mistral forge son propre mythe à grands coups de mots sous l'enclume du style. »

Depuis, Mistral a publié deux romans, une pièce de théâtre, un recueil de poésie, en plus de défrayer la chronique judiciaire. Sa production subséquente passa presque inaperçue. Le grand talent qui lui avait permis de créer *Vamp* s'est assoupi sous l'emprise d'énormes problèmes personnels. Quel dommage de voir un jeune auteur qui fut perçu comme un génie s'autodétruire ainsi !

En littérature jeunesse, l'année fut également faste. Je me souviens entre autres du grand roman de Michèle Marineau, *Cassiopée ou l'été polonais*, du premier roman jeunesse d'André Vanasse, *Des millions pour une chanson*, et de Raymond Plante avec *Y a-t-il un raisin dans cet avion ?* Huit titres en tout sont venus enrichir singulièrement un catalogue qui se démarquait beaucoup de la concurrence avec des auteurs talentueux et appréciés des jeunes.

Enfin, la carrière de notre première version du *Visuel*, en noir et blanc, se déroulait bien, malgré le piratage qu'on observait dans les pays de l'Est. La Belgique, Israël, la Norvège, le Danemark et la Finlande s'étaient joints comme partenaires. À la fin de 1988, près de 500 000 exemplaires avaient été imprimés. J'avais atteint et même dépassé largement le point au-delà duquel je pouvais enregistrer d'intéressants profits. Cette réussite me donnait l'élan nécessaire pour entreprendre un projet encore plus audacieux. J'en reparlerai.

1989 : JULIETTE FAIT DES RAVAGES

1989 nous a apporté un nouveau Beauchemin. Sept ans après *Le Matou*, son auteur nous a remis un manuscrit encore plus volumineux. Ses 700 pages racontent l'histoire d'une comptable obèse de 57 ans, propriétaire d'un immeuble. *Juliette Pomerleau* est une œuvre titanesque, débordante de vie, d'histoires pétillantes, où l'imprévu et l'insolite surgissent à chaque page. La vivacité de ce roman qui dose si adroitement l'humour et la tendresse, confirme une fois de plus les exceptionnelles qualités de conteur d'Yves Beauchemin. Ce que Pavese, dans son *Métier de vivre*, disait de Balzac s'applique merveilleusement bien à notre romancier. Chez le grand maître du roman français, Pavese note qu'« il s'engage dans un enchevêtrement de choses avec l'air de quelqu'un qui flaire et promet un mystère et qui vous démonte toute la machine pièce par pièce avec un plaisir âpre, vif et triomphal. Regardez comment il s'approche de ses nouveaux personnages : il les toise de toutes parts comme des raretés, les décrit, les sculpte, les définit, les commente, en fait transparaître toute la singularité et promet des merveilles. »

L'accueil fait à *Juliette Pomerleau* fut aussi éclatant qu'unanime. La critique au Québec lui réserva un traitement remarquable. Beauchemin avait livré une œuvre unique en connaissant bien les

Juliette Pomerleau

Yves Beauchemin

roman

QUÉBEC/AMÉRIQUE

c o l l e c t i o n

l i t t é r a t u r e d ' a m é r i q u e

attentes créées par le phénoménal succès du *Matou*… Jean-Roch Boivin, dans *Le Devoir* : « C'est un régal gargantuesque, une symphonie pour grand orchestre […] L'extraordinaire conteur […] m'a souvent fait trépigner d'impatience. » *Le Journal de Montréal* : « C'est l'événement de l'année ! Une œuvre exceptionnellement touchante, vivante, pleine d'audace, de vérité, d'authenticité et de romantisme, et émouvante… » Le chroniqueur de *La Presse* : « Rares sont les livres qui vous investissent de façon aussi décisive. S'il n'existe pas de recette sûre pour écrire des best-sellers, on sait maintenant […] pourquoi *Le Matou* l'est devenu… »

Le roman resta sur la liste des best-sellers pendant plus de 20 semaines et après 8 mois, plus de 60 000 exemplaires avaient été vendus en librairie. Et, consécration suprême pour un Québécois, il fit la rentrée littéraire en France. Beauchemin, invité à la première émission de Bernard Pivot, bénéficia donc grandement ici des critiques élogieuses des médias français. *Juliette Pomerleau* fut même finaliste au prix Goncourt. Beauchemin, qui avait hésité plusieurs mois avant de nous remettre le manuscrit final, respira plus à l'aise après ce concert d'éloges.

Le Figaro, en particulier, n'avait pas caché son enthousiasme : « Quel élan et quel punch ! L'écriture d'Yves Beauchemin est alerte, primesautière, sensible, visuelle et musicale. Son héroïne a du coffre autant que de la chair. Son franc-parler québécois fait merveille et donne à notre littérature française beaucoup de verdeur et de saveur. La musique de M. Beauchemin est comme celle de ses personnages : on voudrait qu'elle ne s'arrête jamais. Un étonnant portrait de femme qui risque d'apporter le trouble et l'émoi dans le tableau littéraire de la rentrée d'automne. Beauchemin nous fait penser à un Dostoïevski populaire moderne qui ferait des coups. Celui-ci est un gros coup réussi. »

Le prestigieux journal *Le Monde* a lui aussi été séduit : « L'auteur ne manque, de son côté, ni de force ni d'humour. Il […] fait sortir, quand cela l'arrange, des êtres de son chapeau de prestidigitateur, retrouve, à son gré et sans crier gare, l'existence réelle du compositeur tchèque Bohuslav Martinu […] La fameuse verdeur des dialogues québécois n'est pas excessive. Juste ce qu'il faut pour que vous sachiez où vous êtes, et que la truculence de Beauchemin se trouve à sa juste place…»

Il n'est donc pas étonnant que Beauchemin ait reçu en novembre le Prix du public au Salon du livre de Montréal. Avec sa parution en France, les ventes de *Juliette Pomerleau* à la fin de 1989 dépassaient déjà le cap des 100 000 exemplaires. Et ce n'était pas fini : 1990 s'annonçait bien, car des producteurs et les clubs de livre avaient déjà montré leur intérêt.

LOUIS HAMELIN FAIT SON ENTRÉE DANS LE MONDE DU LIVRE

Un autre auteur, Louis Hamelin, allait attirer l'attention du milieu littéraire à la rentrée 1989. Jeune et talentueux, il ne tarda pas à décrocher le Prix du gouverneur général, voyant ainsi confirmé son immense talent. *La Rage* est un roman choc d'une rare audace et Hamelin, une autre découverte de Vanasse, fit à son tour l'unanimité chez la critique. Voici quelques commentaires recueillis dans les médias du Québec : «Le talent de Louis Hamelin est à proprement parler éblouissant. C'est un roman génial.» «Livre choquant, envoûtant, splendide.» «Un vocabulaire riche et parfaitement maîtrisé, une écriture extrêmement brillante, pleine sans être lourde, vive sans légèreté.» «L'entreprise de M. Hamelin est neuve, elle est pour l'instant unique. Elle donne à rêver. Un écrivain aussi immense que Jacques Ferron et Victor-Lévy Beaulieu, et qui ne leur doit rien.» Quel accueil !

Hamelin et Mistral ont suivi Vanasse quand il s'est porté acquéreur en 1991 du magazine littéraire *Lettres Québécoises* et de la maison d'édition XYZ. Vanasse m'avait prévenu qu'il avait invité ses deux jeunes écrivains à le suivre. Je m'y suis résigné de bon gré, mais j'étais un peu peiné de voir partir deux auteurs dont ma maison avait tout de même assuré avec succès l'entrée dans le monde du livre. Mais ils s'identifiaient davantage à leur directeur littéraire et de toute façon, lorsque l'occasion s'offrit à Vanasse d'être éditeur et propriétaire d'une petite entreprise, je n'ai pas hésité à l'encourager. Il avait été pour moi un précieux collaborateur. Il avait admirablement bien secondé Diane Martin, devenue directrice des éditions en 1987. Pendant quatre ans, elle a occupé son poste avec beaucoup de compétence et de discrétion. C'est une grande technicienne de l'écriture et je suis très heureux qu'elle continue de travailler pour nous après plus de 20 ans.

QUÉBEC AMÉRIQUE INTERNATIONAL : LA NOUVELLE ÉTAPE

En cette année où le siècle allait basculer à Moscou et à Berlin, nous avons livré tel que prévu à Larousse, Stoddart et Facts On File le *Visuel Junior*, le premier dictionnaire en couleurs entièrement réalisé à l'ordinateur. En 1988, nous avions présenté au monde de l'édition internationale le résultat de notre recherche. Ce livre de 160 pages était notre carte de visite. Nous avions réussi à créer des images en couleurs d'une précision sans pareille, à relier automatiquement les mots aux images, à garantir une plus grande exactitude terminologique, enfin à élaborer une base de données en plusieurs langues à partir de laquelle on pouvait produire instantanément de multiples versions bilingues ou multilingues. Les éditeurs rencontrés à Francfort s'étaient alors montrés fort impressionnés par la qualité des résultats, les économies réalisées par ce nouveau procédé et les possibilités de développement virtuellement illimitées, allant de l'imprimé au cédérom.

La première version en noir et blanc du *Dictionnaire thématique visuel* avait atteint (toutes éditions confondues) les 800 000 exemplaires et la demande se maintenait. La première version en couleurs destinée à un public jeune avait été réalisée surtout pour mettre au point notre technologie, tester les limites des logiciels avant d'entreprendre le grand projet. François et son équipe étaient prêts. Avec un nouvel équipement de pointe, il était maintenant possible de produire une nouvelle génération d'images encore plus précises, plus éclatantes, pour atteindre une perfection telle que nous devions montrer les rendus avec les structures informatiques pour prouver que nous n'avions pas travaillé à partir de photos.

J'étais très excité par l'accueil extraordinaire des éditeurs étrangers et surtout par les possibilités énormes que représentait pour mon entreprise le développement d'un *Visuel* pour grand public. Plutôt que de prendre six mois pour produire une mise en pages monochrome, avec la méthode traditionnelle, nous pouvions, avec notre nouveau procédé, créer en quelques heures une édition en plusieurs langues ! Les auteurs Jean-Claude Corbeil et Ariane Archambault ont ainsi élaboré le contenu, indiqué le nombre d'images requis, défini le temps nécessaire pour la recherche terminologique et déterminé le nombre de collaborateurs nécessaire. Quant à François, il se mit à la recherche d'infographistes, mais comme c'était un métier nouveau, il a fallu en fait assurer leur formation. En plus des collaborateurs à l'éditorial, une équipe de 11 artistes de la souris allaient relever le défi de réaliser ce nouveau dictionnaire avant juin 1992.

Devant l'ampleur du projet et l'intérêt des éditeurs étrangers, j'annonçais le 14 novembre 1989 la création d'une nouvelle division, Québec Amérique International. Premier objectif : créer une banque informatisée de 5 000 images en couleurs, à partir desquelles serait produite une nouvelle version du *Visuel*. Ce serait un ouvrage de 900 pages environ qui serait publié simultanément en français, en anglais, en espagnol, en italien et en allemand. J'avais prévu un investissement de 2,8 millions, mais à la fin du projet, les coûts avaient atteint les 3,4 millions de dollars. J'étais déterminé à donner à mon entreprise une dimension internationale. Cela devait heureusement convenir à François et plus tard à Caroline. Ils avaient toujours démontré le plus grand intérêt pour des produits branchés sur les plus récentes technologies. Le défi devenait plus grand sans doute, mais le marché illimité garantirait à l'entreprise des assises plus solides avec des possibilités de développement à l'échelle mondiale. Il fallait préparer une maquette ainsi qu'un argumentaire et établir une structure de prix. Le tout devait être fin prêt pour la Foire de Francfort de 1990. Ouf ! Si je m'étends quelque peu sur ces détails, c'est que vu de l'extérieur, tout paraît souvent trop simple. Mais que de travail nous avons mis dans chacune de ces étapes! La mondialisation, c'est tout un roman, dirait Beauchemin lui-même!

QUÉBEC AMÉRIQUE : 15 ANS DE BEAU TRAVAIL

L'année 1989 s'est terminée par une petite fête pour souligner les 15 ans de la maison. Yves Beauchemin et Arlette Cousture prirent la parole au nom des auteurs. Beauchemin a parlé des succès de Québec Amérique en se disant un peu inquiet de l'envergure que prenait justement l'entreprise. Arlette quant à elle y alla d'une courte allocution prononcée sur un ton humoristique. Elle en profita pour souligner quelques traits négatifs de ma personnalité. Dans une discussion, j'aurais le don de rendre les choses fort ambiguës quand le sujet devient délicat. Mes interlocuteurs auraient du mal à déchiffrer ce que j'ai à l'esprit. Elle aurait bien décrit, selon Luc Roberge, directeur général, un trait de ma personnalité qui m'était sans doute utile dans certaines circonstances, mais qui laissait souvent mon vis-à-vis pantois. Au fond, peut-être que ma timidité ou, si l'on veut, ma réserve naturelle devient parfois un grand atout.

Ai-je besoin de signaler que le bilan de 1989 fut encore une fois exceptionnel? On l'aura deviné en pensant aux ventes du *Visuel* et de *Juliette Pomerleau*. Sans compter que *Les Filles de Caleb* étaient toujours d'actualité avec le tournage de la série télévisée et la publication du tome 2 à Paris aux éditions de La Table Ronde. De son côté, Donald Smith était ravi, avec raison, de publier le premier roman du célèbre Jack Kerouac, *Avant la route*. Traduit par Daniel Poliquin, le livre fut coédité en France par La Table Ronde. De plus, trois auteurs de la maison, Michèle Marineau (jeunesse), Louis Hamelin (roman) et Patricia Smart (essai) ont obtenu cette année-là le Prix du gouverneur général.

Le personnel de Québec Amérique comprenait maintenant une vingtaine de personnes. Michèle Marineau avait remplacé Raymond Plante à la direction de notre section jeunesse. À la direction éditoriale, Diane Martin pouvait compter sur sept directeurs de collections engagés sur une base contractuelle. Après 15 ans, j'étais loin de l'époque où je devais cumuler à peu près toutes les fonctions! Québec Amérique était devenue l'affaire de toute une équipe. Il ne faut pas oublier que si derrière chaque livre et chaque succès, on trouve d'abord un auteur, il y a également tous ces artisans qui contribuent à en faire un bel objet puis un produit culturel, depuis l'éditeur, le directeur littéraire, les lecteurs, correcteurs, graphistes, monteurs et imprimeurs jusqu'aux libraires, en passant par le distributeur.

C'est ainsi qu'au fil de toutes ces années, Québec Amérique s'est constitué l'un des catalogues les plus riches de l'édition québécoise avec plus de 300 titres et 200 auteurs. Les années 80 ont été décisives dans l'évolution de la maison. Ayant connu des records de vente en littérature qui ne seront peut-être jamais battus (si l'on tient compte de l'évolution actuelle du marché) et après un départ remarqué sur la scène internationale, j'étais dorénavant prêt à faire face aux défis des années 90 avec une équipe déterminée. Notre politique éditoriale sans compromis, nos choix éditoriaux alliés à nos succès commerciaux et à notre décision de prendre promptement le virage technologique ont largement contribué à faire de Québec Amérique une entreprise à la fois dynamique, audacieuse et prestigieuse.

Pour couronner nos 15 ans, trois journaux majeurs y sont allés de commentaires élogieux. On me permettra d'y voir un bouquet offert à toute la maison et à son personnel : « Québec Amérique, la maison d'édition québécoise la plus spectaculaire et la plus audacieuse » (*Les Affaires*). « Québec Amérique, la maison d'édition la plus dynamique, la plus prestigieuse et la plus respectée qui ait vu le jour chez nous » (*Le Magazine PME*). « Un ensemble de qualités qui ont fait le succès de Québec Amérique, certainement la plus dynamique des maisons d'édition que le Québec ait jamais connues. Un nom qui commence à faire le tour du monde » (*La Presse*). Après une telle reconnaissance, je pouvais faire un bilan marqué par la satisfaction bien légitime d'avoir contribué à enrichir d'une façon significative le fonds de l'édition québécoise. Forts de l'enthousiasme et de la détermination que nous donna cette reconnaissance par notre milieu et par le monde des affaires, nous allions aborder les années 90 en nous lançant le défi de faire mieux, ici comme ailleurs.

Quatrième partie: 1990-1995

CAP SUR LE MONDE

1990 : LE SUCCÈS
DE *JULIETTE POMERLEAU* SE CONFIRME

Le contrat qui cédait les droits du *Matou* à Alliance Viva Films contenait une option sur le prochain roman d'Yves Beauchemin. *Juliette Pomerleau* devait donc leur être offerte en priorité. À quelques reprises, j'ai donc rencontré Denis Héroux pour négocier la nouvelle cession des droits pour le cinéma et la télévision. Les pourparlers ont été ardus à cause des exigences de l'auteur qui voulait avoir un droit de regard sur le scénario et le choix de la comédienne qui devait jouer le rôle titre. J'ai bien tenté d'expliquer à Yves qu'il s'agissait d'une autre œuvre et qu'il fallait faire confiance au producteur. En vain. Il tenait à y participer et à faire inscrire ses exigences dans le contrat. Malgré tout, j'ai fini par obtenir de Héroux plusieurs concessions en plus d'une garantie de 300 000 $ en droits.

Le nom de Ginette Reno est venu à l'esprit du producteur dès la première rencontre. Mais quand j'en ai fait part à Yves, il s'y objecta. Il exigea même que soit précisé dans le contrat que sa Juliette ne serait pas incarnée par elle. Cette grande vedette de la chanson, qui n'avait pas encore joué de rôles importants à l'époque, s'était montrée très intéressée à personnifier Juliette dans une série télévisée. Le producteur qui avait présenté le projet à des diffuseurs recevait chaque fois la même réaction : on ne voyait que Ginette Reno pour interpréter le personnage principal. Le producteur a tenté sans succès d'amener Yves à changer d'avis. De mon côté, j'estimais qu'il avait tort de s'opposer à ce choix. Pour lui jouer un tour, mais aussi pour lui démontrer la faiblesse de sa position, je l'appelai un soir pour lui dire que la comédienne choisie était la chanteuse Michèle Richard. Beauchemin paniqua. Il réclama une rencontre urgente avec le producteur pour apporter des changements au contrat. Je l'ai laissé à son désarroi pendant quelques heures avant de le rappeler pour lui dire que c'était une blague. J'ai bien regretté mon initiative, car peu avant minuit, il me rappela pour me dire que le producteur pourrait bien avoir la même idée que moi et qu'il faudrait préciser dans le contrat qu'elle non plus ne pourrait avoir le rôle. La discussion dura près de deux heures. Par la suite, je n'ai pas cessé de payer le prix de cette plaisanterie, Beauchemin y revenant toujours habilement. Il découvrit par la suite que Michèle Richard se défendait fort bien devant une caméra.

Quelques années plus tard, Ginette Reno eut un rôle important dans le film *Léolo* de Jean-Claude Lauzon et alors tout le monde découvrit qu'elle était une grande comédienne. Beauchemin reconnut son erreur, mais il était trop tard : Alliance Viva Films s'était retirée du projet après y avoir englouti un montant considérable. Ce n'est qu'en 1996 que les droits furent repris par Rose Films et il a fallu attendre 1999 pour que la série soit enfin diffusée sur le réseau TVA. Elle connut du succès, mais on n'a pas réussi, à mon avis, à traduire en images toute la puissance du roman. Les comédiens n'ont pas réussi à bien rendre les personnages du roman que je trouvais plus vrais, plus spontanés. Il faut cependant reconnaître que le défi était de taille avec un roman aussi fort.

Par ailleurs, à l'été 1990, France Loisirs a fait de *Juliette Pomerleau* sa « première sélection » parmi les œuvres offertes à ses abonnés. Ce qui signifiait que 325 000 exemplaires allaient s'ajouter aux autres éditions. Les ventes devaient dépasser le cap des 600 000 en français pendant que la version anglaise se préparait à Toronto. Yves reçut en France le Prix des lectrices du magazine *Elle*, ce qui lui donna une visibilité exceptionnelle. Mais c'est le premier prix Jean Giono qui devait consacrer *Juliette Pomerleau* et son auteur. Une réception grandiose fut offerte à cette occasion par les Assurances générales françaises, commanditaires du prix, à l'hôtel Reine Élisabeth de Montréal. Un repas gastronomique avait été préparé par un grand chef du Sud de la France et Françoise

Chandernagor, grande écrivaine, devenue membre de l'Académie Goncourt, rendit alors à l'auteur un émouvant témoignage. Ce fut une imposante réception (700 personnes). Tant d'honneur et d'éloges pour Yves n'allaient évidemment pas passer inaperçus, mais jamais je n'avais pensé que l'événement, auquel j'avais convié nos auteurs et tout le milieu du livre, provoquerait l'envie et la jalousie qui se sont ensuite manifestées.

LA CONVOITISE D'ARLETTE COUSTURE

Le tournage de la série *Les Filles de Caleb* avait commencé et tout se déroulait fort bien sous la direction du cinéaste Jean Beaudin. L'événement suscitait beaucoup d'intérêt dans les médias. Les vedettes Marina Orsini et Roy Dupuis y étaient pour beaucoup. Les ventes du roman se maintenaient à un excellent niveau, ce qui justifiait notre décision de publier une édition populaire. Des mois à l'avance, nous avions décidé de mettre sur le marché une importante quantité de livres en prévision du début de la série en octobre.

Pourtant, un jour de septembre 1990, une Arlette furieuse s'est présentée à mon bureau à l'improviste. « Je viens d'apprendre que Beauchemin a obtenu un pourcentage plus élevé que moi. » Sur un ton qui cachait mal sa colère, elle ajouta qu'elle ne touchait pas assez sur les ventes de son roman. Le pourcentage qu'elle avait bel et bien accepté par contrat ne lui convenait plus. « Je suis certaine que Québec Amérique et toi, Jacques Fortin, vous êtes en train de vous enrichir sur mon dos. » Surpris, j'ai tenté de la raisonner en lui disant que les conditions accordées aux autres auteurs de la maison demeuraient scrupuleusement confidentielles et qu'il était impossible pour elle de connaître les conditions contractuelles d'Yves Beauchemin. « Je les connais, nous avons le même avocat », rétorqua-t-elle. Ignorant sa réplique, j'ai tenté de lui faire comprendre qu'elle bénéficiait de conditions contractuelles avantageuses et que je ne pouvais pas modifier rétroactivement les clauses d'un contrat signé de bonne foi sans revoir le prix de vente, le budget de production d'un livre étant toujours assez serré. Nous ne sommes pas des marchands de tapis!

C'était la première fois qu'un auteur de la maison contestait ouvertement les dispositions d'un contrat déjà signé. Je voyais bien qu'elle avait atteint un degré d'agitation et d'exaltation où toute discussion rationnelle devenait impossible. «Arlette, tu as tort, ton livre connaît un succès sans précédent grâce à l'édition populaire et la série qui s'en vient ajoutera encore à ton immense réussite. Je suis vraiment peiné de ta réaction. Sois plus sereine et profite du triomphe qui s'annonce.» Elle sortit promptement de mon bureau en me disant que si je n'acceptais pas de rouvrir son contrat, son prochain manuscrit risquait de se retrouver ailleurs. J'étais à la fois stupéfait et songeur. Je ne pouvais m'expliquer son comportement. Je m'empressai de communiquer avec Yves Beauchemin qui me confirma qu'il avait bien fait lire son dernier contrat par Maître Claude Brunet. Et l'histoire continue. Un mois plus tard, la série battait tous les records de cotes d'écoute de Radio-Canada. Et les ventes en librairie dépassaient nos attentes. Devant des résultats aussi spectaculaires, Arlette, dont l'avidité grandissante m'étonnait, ruminait et calculait son hypothétique manque à gagner.

En novembre, au Salon du livre de Montréal, nous avons invité Marina Orsini à des séances de signature. Nous avions aménagé un espace important dans notre stand avec des décors de la série télévisée. Arlette, quand elle fut informée de notre initiative, protesta énergiquement auprès de Luc Roberge. «Pas question qu'elle signe mon livre!» Luc lui dit qu'on ne pouvait décommander madame Orsini et insista pour qu'elle collabore. Elle lui répondit qu'elle était bien capable de faire un esclandre au stand de Québec Amérique. Elle n'en fit heureusement rien et se prêta finalement de bonne grâce aux séances de signature avec la vedette invitée. La présence de Marina Orsini attira tellement de monde que nous avons dû faire appel à un service de sécurité pour empêcher la foule d'envahir le stand. À cause de la circulation rendue impossible par un tel attroupement, nous avons même dû louer une grande salle pour continuer les séances.

Le succès phénoménal du livre en librairie eut donc un effet pernicieux. L'auteure, que je n'avais pas réussi à convaincre du bien-fondé de notre stratégie et de ses conditions financières, confia à son avocat, Maître Claude Brunet, et à son mari, Daniel Larouche, ex-directeur de collection et de par son métier un économiste bien capable de faire parler les chiffres, le mandat de négocier avec moi. Les deux hommes se présentèrent à mon bureau, le 3 décembre, dans le dessein de me convaincre de réviser les dispositions du contrat qu'Arlette avait pourtant accepté de signer sans aucune contrainte.

La rencontre dura près de deux heures. Daniel Larouche m'annonça d'abord qu'il avait fait une analyse des revenus d'Arlette en comparant les ventes du format populaire, comportant des droits de 7 pour cent, avec les revenus qu'elle aurait touchés si nous avions conservé l'édition grand format qui lui rapportait 15 pour cent. Sa conclusion : en acceptant ce nouveau format, Arlette subissait un important manque à gagner. « Le format compact n'était pas nécessaire et si on avait maintenu le grand format, les ventes auraient été les mêmes. Le prix n'a pas d'influence sur les ventes d'un livre à forte demande », disait-il. Je trouvais son analyse irrationnelle et ses propos étranges pour un économiste. Surtout qu'il avait appuyé mon initiative lors de la signature du contrat. Contre toute logique, son point de vue prenait le contre-pied des règles élémentaires de la vente. Je n'en revenais tout simplement pas : comment pouvait-on croire que le même livre se vendrait aussi bien à 25 $ qu'à 12 $?

J'eus beau expliquer les circonstances et les raisons qui m'avaient amené à proposer le format compact, Larouche ne voulait rien entendre. Il exigeait plus d'argent pour Arlette, car d'après lui, le succès de la série et du livre démontrait que Québec Amérique faisait trop de profits. À un moment donné au cours de la discussion, il fit valoir qu'en invoquant la clause de l'intérêt commun, il pourrait nous poursuivre en justice. Maître Brunet, qui avait été jusque-là plutôt silencieux, intervint alors pour dire à Daniel que la clause à laquelle il se référait n'avait pas de lien en droit avec le pourcentage accepté par Arlette et qu'il fallait trouver une autre solution. Il ajouta, en s'adressant à Larouche, qu'il n'était pas intéressé à défendre sa cause sur une telle base. Ils quittèrent mon bureau en me rappelant les états d'âme d'Arlette et en me demandant de considérer sérieusement sa demande. Comme on le verra plus loin, les choses n'en restèrent pas là et cette saga devait prendre par la suite une tournure inquiétante.

LE PREMIER ROMAN DE JACK KEROUAC

À la même époque, Donald Smith réalisa un autre bon coup en obtenant les droits en français du premier et du dernier roman de Jack Kerouac : *The Town and the City* et *Pic*. Droits qu'il avait obtenus de l'agent de la famille à Londres. Il avait d'ailleurs constitué une équipe d'écrivains talentueux pour traduire Kerouac, Stephen Leacock, Morley Callaghan, Robertson Davies, Matt Cohen et Lucy Maud Montgomery. Son équipe comprenait Daniel Poliquin, Michèle Marineau, Hélène Rioux et Marie José Thériault. La qualité de leur travail était telle que les éditeurs français reprirent sans rien y changer la plupart des traductions. Mais quand il s'est agi de reprendre ici les œuvres de Kerouac traduites en France, nous avons constaté qu'elles contenaient des erreurs de sens si énormes que j'ai dû en faire corriger le texte. Il en fut ainsi pour *Maggy Cassidy* que j'ai coédité avec Stock. Un traducteur français a beaucoup de mal, par exemple, à traduire un match de baseball ou de football américains.

COMMENT ÉCRIRE DE LA FICTION AU QUÉBEC

De son côté, Noël Audet intéressa vivement le milieu du livre et de la critique avec son essai *Écrire de la fiction au Québec*. Ce livre lui valut d'ailleurs d'être nommé personnalité de *La Presse* et finaliste aux prix Molson et du gouverneur général. Son expérience de l'écriture et de l'enseignement faisait de lui la personne tout indiquée pour parler du problème de la langue dans l'écriture de la fiction, des genres littéraires, des formes et du métier même de l'écrivain. Comme éditeur, j'adhérais aussi volontiers à son étude de l'institution littéraire. Audet a démontré dans cet essai que ceux qui présentent, critiquent et attribuent des prix aux auteurs d'ici ont souvent une piètre idée de la littérature québécoise. Ils suivent toujours des modèles empruntés ailleurs et ils se font de notre littérature une image qui ne correspond pas à la réalité. Ce livre, toujours d'actualité, montre bien qu'au Québec, nous n'avons toujours pas résolu les questions de notre appartenance à l'Amérique et de notre fascination pour la norme française. Le défi de décoloniser la littérature québécoise demeure donc toujours d'actualité.

LA MENTALITÉ DES LIBRAIRES ET LES LISTES DE BEST-SELLERS

L'exemple de ce qui se passe en librairie me revient en tête. Un article publié dans *La Presse* du 23 septembre 1990 sous la plume de Réginald Martel me valut bien des réprimandes de la part des libraires qui n'avaient pas apprécié mes remarques sur leur façon de traiter la littérature québécoise. J'avais fait part au journaliste de ma déception à la suite d'une tournée d'une dizaine de librairies à Montréal et Québec. L'une d'elles, et non des moindres, avait mis en évidence beaucoup de titres français mais seulement deux titres d'éditeurs québécois, ce qui m'avait particulièrement intrigué. Cachant mal ma déconvenue, j'avais dit au libraire : « Vous avez beaucoup de titres français... ça se vend ? » « Pas tellement, avait-il répondu, et d'ailleurs j'ai très peu d'exemplaires de chacun, cependant j'ai obtenu des diffuseurs français des conditions exceptionnelles. »

À cette époque, *Le Matou* et *Les Filles de Caleb* étaient les meilleurs « vendeurs ». « Et du Beauchemin et du Cousture, vous en vendez ? » « Mais oui... » Et sans aucune honte, il me les montra, bien cachés au fond de la librairie. Je l'ai quitté en lui disant que cela m'éclairait sur la raison des difficultés que connaissent plusieurs libraires. Suprême ironie, quand j'allai ensuite à Place Sainte-Foy chez Coles, une maison de Toronto, j'ai vu, bien en évidence, une vingtaine de mes titres et plusieurs d'autres éditeurs québécois. Curieusement, c'est dans les librairies anglophones que nos titres se retrouvaient le plus souvent en vitrine ou sur les tables près de l'entrée. Cette petite tournée me donna sérieusement le cafard. Dans toutes les librairies visitées, la littérature québécoise était peu visible. Voulant en savoir davantage sur l'état réel de cette situation, j'ai engagé une étudiante française pour faire la tournée des librairies, car je voulais comprendre pourquoi nos libraires étaient si peu enclins à donner à nos livres une place de choix.

C'était sa première visite au Québec. La jeune femme se cherchait un emploi d'été afin de payer son séjour. Je lui avais préparé un questionnaire, je voulais vraiment connaître l'attitude et le sentiment des libraires face à l'édition d'ici. Son rapport fut accablant, plusieurs n'hésitant pas à avouer qu'ils ne s'intéressaient pas beaucoup à ce qui se produisait au Québec ou que la production littéraire d'ici les laissait indifférents. Certains justifiaient le peu de place qu'ils donnaient à la littérature québécoise par le désir de ne pas nuire à leur image ! La jeune étudiante m'a dit en me remettant son rapport : « Je me pensais en France, chaque fois que j'entrais dans une librairie. »

Madame Françoise Chandernagor me fit le même commentaire lors d'un séjour qu'elle fit au Québec. Quand j'ai visité avec elle quelques librairies, elle se dit tout étonnée de constater le peu de visibilité qu'on accordait aux livres québécois. Elle fut encore plus stupéfaite lorsque son livre se retrouva, pendant deux semaines, sur la liste des best-sellers... avec 293 exemplaires vendus alors que *L'Ombre de l'épervier* de Noël Audet, qui après un mois s'était vendu à 6 000 exemplaires, n'était jamais apparu sur cette fameuse liste ! Que lui répondre ? Pendant six mois, Bernard-Henri Lévy avait été sur la liste des best-sellers de *La Presse*, bien qu'il ne se fût vendu que 5 000 exemplaires de son livre. Pendant la même période, nous avions écoulé 25 000 exemplaires des *Filles de Caleb*, sans que le livre occupe la première place.

Le moins que l'on puisse dire, c'est que les listes de best-sellers publiées dans les journaux ont été et sont sans doute encore trop souvent établies arbitrairement. Or ces listes influencent le public et même les bibliothécaires, avec des conséquences parfois inattendues. Un jour que je voulais acheter les droits en langue française d'un ouvrage américain qui se vendait bien, j'ai appris qu'un collègue français avait montré les listes de best-sellers de Montréal à l'éditeur américain en lui disant : « L'édition québécoise, ça n'existe pas. Voyez, il n'y a pas un seul titre québécois sur ces listes. » Si les listes de best-sellers restent peu fidèles à la réalité, je dois cependant reconnaître que la visibilité du livre québécois en librairie reste faible. Quoi qu'il en soit, les éditeurs du Québec trouveraient logique que, dans une économie de marché, on leur reconnaisse une importance équivalente à leur poids économique.

Pour clore cette revue de 1990, je noterai que le bilan en fut toujours positif avec la publication de 46 titres et la réimpression de plus de 200 000 exemplaires de notre fonds. Notre nouvelle division internationale comptait 20 personnes. Linguistes, recherchistes et infographistes étaient déjà au travail pour réaliser la nouvelle édition du *Visuel*. Une maquette plus fouillée, plus complète, et un dépliant publicitaire furent mis au point. Ce matériel était indispensable pour espérer intéresser sérieusement les plus grands éditeurs. Après avoir été seul avec Donald Smith à assurer depuis 1983 les ventes à l'étranger, j'ai engagé Johanne Parrot comme adjointe. Elle occupa aussi le poste de responsable de droits étrangers pendant près de sept ans avant de nous quitter pour relever d'autres défis. Elle m'a laissé le souvenir d'une collaboratrice exceptionnelle, à la fois dévouée et compétente. Avec Donald, Johanne a largement contribué au succès qu'allait connaître le *Visuel* dans les années 90.

À signaler également la venue d'Anne-Marie Aubin, bien connue dans le monde de la littérature jeunesse. Elle succéda à Michèle Marineau qui avait laissé son poste pour se consacrer davantage à l'écriture. La nouvelle directrice de notre division jeunesse n'a pas mis beaucoup de temps à transmettre son amour de la littérature pour les jeunes. Son expérience comme professeure, comme auteure et comme chroniqueuse dans différents médias allait grandement contribuer à enrichir notre catalogue jeunesse. Comme on peut le voir, j'ai toujours tenu à bien m'entourer !

1991 : ARLETTE FAIT ENCORE DES SIENNES

En 1991, notre programme éditorial pour l'année comportait 45 titres, dont 37 romans (dont 14 s'adressaient à des jeunes). Ceux de François Gravel, Marie Gagnier, Stanley Péan, Robertson Davies, Georges-Hébert Germain et Paul Ohl, pour en nommer quelques-uns, allaient être reçus avec enthousiasme par le public et la critique. Le magnifique *Christophe Colomb* de Georges-Hébert Germain et le très bon *Soleil noir* de Paul Ohl ont connu un succès mérité au Québec avant d'aller s'inscrire un an plus tard dans le prestigieux catalogue de France Loisirs. Les lecteurs français s'intéressent à nos livres quand nous parvenons à les rejoindre, ce qui n'est pas toujours facile, vu qu'il faut passer par l'establishment parisien.

Autre fait digne de mention : Gérald Tougas et Christiane Duchesne ont reçu cette année-là le Prix du gouverneur général, l'un pour *La Mauvaise Foi* et l'autre pour *La Vraie Histoire du chien Clara Vic*. Au catalogue jeunesse, le premier roman pour jeunes d'Yves Beauchemin fut très bien accueilli. Son *Histoire à faire japper* est vite devenue une de leurs lectures préférées.

Pendant ce temps, Arlette Cousture continuait à me réclamer plus d'argent. Le 15 février, je recevais une longue lettre de son mari dans laquelle celui-ci reprenait les mêmes arguments qu'il m'avait servis lors d'une rencontre en décembre 1990. Plusieurs communications téléphoniques suivirent alors, adressées à moi et à Luc Roberge. Finalement, le 11 mars, j'ai adressé à Daniel Larouche une lettre confirmant ma décision de ne pas revoir l'entente du 2 mai 1988, lui rappelant que ce contrat accepté par Arlette était plus qu'avantageux. J'en faisais la preuve dans un tableau qui démontrait on ne peut plus clairement que j'avais accordé à sa femme des conditions supérieures à ce qui se pratiquait dans les milieux de l'édition.

Le 4 juillet, la discussion durait toujours, car je rencontrai ce jour-là Arlette et son mari au restaurant Le Lucas à Greenfield Park. Le ton fut cordial. Nous avons évidemment repris nos arguments à propos du contrat du 2 mai 1988, nos positions respectives n'ayant pas changé. « Il faut que tu acceptes de faire quelque chose, disaient-ils, parce que nous sommes persuadés que Québec Amérique a réalisé des profits exorbitants. » Je rétorquai qu'il était normal de réaliser des profits après un tel succès. J'avais du mal à comprendre leur entêtement, je déplorais surtout le fait que leur attitude leur gâchait selon moi le plaisir de vivre un des plus beaux succès de l'édition au Québec. Finalement Arlette me fit une proposition : « Si tu me verses immédiatement une avance de 150 000 $ sur les droits de mon prochain livre, je suis prête à renoncer à ma réclamation. » Daniel Larouche est intervenu en disant : « Arlette, pas trop vite… » Ma réponse tint en peu de mots : « Je suis d'accord, mais à la condition d'accepter auparavant ton manuscrit. » « Ah ! non, répondit-elle. C'est une question de confiance. » Puis, devant les réticences de Daniel, la discussion bifurqua sur l'urgence de vendre les droits en anglais.

Le 5 juillet, son mari m'envoyait une lettre qui faisait le point sur notre rencontre de la veille. Il avait été convenu que si je ne trouvais pas un éditeur anglais avant le 31 août, notre mandat pour vendre les droits de traduction prendrait fin. Au cours des mois de juillet et août, nous avons négocié avec l'éditeur Stoddart. Le 29 août, nous avions un projet d'entente que nous avons transmis à Arlette. Le 3 septembre, Daniel Larouche précisa certaines demandes à inclure au contrat et confirma le rôle de Québec Amérique comme agent négociateur auprès de l'éditeur de Toronto en acceptant de nous verser 30 pour cent des sommes reçues en commissions. Entre-temps, le 7 août, Larouche nous avait envoyé une autre longue lettre, toujours pour exiger plus d'argent pour Arlette. Luc Roberge et moi n'avions pas encore réussi à le convaincre de l'inconsistance de leur réclamation, malgré les nombreuses discussions, malgré toutes les précisions concernant l'à-propos de la publication en format compact et la grave erreur qu'eût constitué l'augmentaton du prix de l'édition originale.

Le 7 octobre, Arlette nous a avisés qu'elle ne renouvelait pas le contrat pour le tome 2, venu à échéance, aux mêmes conditions. Nous avons donc signé un nouveau contrat pour le format compact qui prévoyait que le taux de redevances passerait de 7 à 15 pour cent. Cette modification fut accompagnée d'une augmentation logique du prix de vente au détail de 30 pour cent. Le marché a très mal réagi à cette hausse de prix et les ventes ont chuté de 90 pour cent, malgré la télédiffusion de *Blanche*. Cette baisse prouva de façon flagrante combien la cupidité pouvait être dangereuse. J'ai à ce moment-là eu la naïveté de croire que ce contrecoup allait mettre fin au différend. Mais non, Arlette et son mari continuèrent à nous harceler. Leur attitude défiait toute rationalité. Comment négocier lorsque l'émotivité l'emporte sur la raison ?

FRANCFORT 1991 : DES RÉSULTATS INESPÉRÉS

Comme chaque année, nous sommes allés à la Foire du livre de Francfort. L'équipe du *Visuel* dirigée par mon fils François et Jean-Claude Corbeil avait préparé comme prévu une maquette et un dépliant de très haute qualité. Donald Smith avait été désigné pour trouver un éditeur américain. Johanne Parrot et moi allions concentrer nos efforts sur l'Europe. Bref, nous sommes arrivés à Francfort avec des projets de contrats pour MacMillan, la maison américaine qui venait de passer sous le contrôle du groupe de Robert Maxwell. En Allemagne, notre partenaire devait être Ernst Klett Verlag, important éditeur de dictionnaires et de manuels scolaires. J'avais également obtenu de Zanichelli, en Italie, l'assurance qu'il allait se joindre au premier tirage prévu pour le printemps 1992. Cette foire devait donc donner des résultats inespérés puisque les Danois, les Belges, les Néerlandais, les Norvégiens ont également accepté de se joindre à nous pour le premier tirage. Huit langues, pour un coup d'envoi, cela nous réjouissait. Un tel décollage confirmait surtout que cette nouvelle version en couleurs était appelée à connaître un succès encore plus fulgurant que la première édition monochrome.

À LA FINE POINTE DE LA TECHNOLOGIE

En présentant notre nouvelle maquette aux éditeurs étrangers, nous étions bien conscients d'établir une nouvelle norme pour la qualité de l'image. François, qui avait dirigé l'équipe d'illustrateurs infographistes, a donc dû consacrer la majeure partie de son temps à répondre aux questions de nombreux éditeurs justement intrigués par la perfection des images. Plusieurs confondaient les images vectorielles avec des photographies d'experts. Pour arriver à ce résultat, nous avions acquis un équipement de haute technologie et développé notre propre programme informatique. Ce logiciel maison allait nous permettre de faire de la mise en pages automatique, de gérer les banques de données textes-images et ainsi de mettre au point nous-mêmes les différentes versions multilingues.

À Francfort, nous avons fièrement émis un communiqué pour souligner notamment notre accord avec MacMillan qui s'était engagé à acheter 100 000 exemplaires et à contribuer aux frais de production pour un montant forfaitaire de 600 000 $. De plus, cet éditeur avait obtenu une licence exclusive pour diffuser le *Visuel* dans 40 pays. Le contrat frôlait les 2 000 000 $. Nous avons ainsi été invités à une réception donnée par le groupe Maxwell qui devait être présidée par Kevin Maxwell, membre de la famille du grand patron Robert. Je devais le rencontrer pour la signature du contrat, mais il ne s'est jamais présenté, ce qui mit ses collaborateurs dans l'embarras. C'est finalement Bill Rosen, éditeur principal chez MacMillan, qui a signé le contrat et qui s'est chargé de faire les présentations. Nous avons alors eu droit à tous les compliments possibles. Je cite intégralement l'une de ses déclarations pour bien montrer que nous avions raison d'être fiers :

« This projet involves a very large commitment of money and time which we are certain will be rewarded with an extraordinary reception by bookstores and bookbuyers in the Fall of 1992. The special character of The MacMillan Visual Dictionary, *as well as the extremely strong presence of the Maxwell MacMillan sales organization worldwide, makes this book one of the most important titles we have ever distributed internationally. I am very impressed by the exceptional quality of the illustrations. Words cannot describe them. They must be seen to be believed. Without a doubt, the* Visual Dictionary, *created and produced by Québec Amérique International, represents both an extraordinary intrinsic achievement as well as the first example of a technology which is about to revolutionize the production of virtually all illustrated books. Projects that could never before have been considered can now be produced… and produced affordably. »*

L'absence de Kevin Maxwell à l'événement annonçait de grands bouleversements dans le Groupe. On connaît la suite : Robert Maxwell allait vendre par morceaux la grande maison d'édition MacMillan avant de se suicider à la suite de ses nombreux déboires financiers. Le groupe MacMillan se retrouva par la suite propriété de Viacom, une multinationale qui possédait déjà Simon & Schuster, le plus important éditeur américain. Aujourd'hui, MacMillan n'est plus la grande maison prestigieuse d'autrefois. Sa taille a considérablement diminué par suite des décisions de Robert Maxwell.

Nous avions grandement appris des erreurs commises au moment de la vente de la première édition en 1985. Nous savions que nous devions rester le maître d'œuvre de l'ouvrage et conserver tous les droits sur le contenu. En procédant ainsi, nous allions assurer au livre une plus grande carrière internationale car les éditeurs ayant un marché plus restreint pourraient profiter de tous les avantages reliés aux tirages regroupés.

1992 : Un roman jeunesse
à la une du *Journal de Montréal*

Pour souligner les dix ans du secteur jeunesse, la directrice Anne-Marie Aubin avait prévu publier dix titres. Avec des auteurs-vedettes comme Yves Beauchemin, Michèle Marineau, Christiane Duchesne et Cécile Gagnon, l'opération remporta un vif succès. Un livre jeunesse fit la une du *Journal de Montréal*. Yves Beauchemin avait écrit *Antoine et Alfred* pour son jeune ami Nicolas, atteint de leucémie, qui avait six ans à l'époque. Beauchemin, toujours généreux, avait été touché par la maladie de ce petit garçon et avait promis de lui écrire une histoire au rythme de deux pages par jour. Ce feuilleton allait devenir un roman. Yves céda en plus 30 pour cent de ses droits d'auteur à Leucan et j'ai accepté de doubler ce montant au profit de cet organisme qui vient en aide aux personnes atteintes de leucémie.

En littérature adulte, le roman de Noël Audet, *L'Eau blanche* fut accueilli chaleureusement par la critique. Audet, qui agissait justement comme directeur littéraire depuis deux ans, ayant succédé à André Vanasse, me fit savoir qu'il devait quitter son poste pour se consacrer entièrement à l'écriture. Il proposa Jean Pettigrew pour le remplacer, soulignant avec insistance que nous avions besoin d'un collaborateur à plein temps. Jean faisait partie de son comité de lecture. Diane Martin, qui assumait la direction des éditions, avait également démissionné pour redevenir correctrice à la pige. Pettigrew, quand il prit la direction des éditions, en novembre 1992, eut la bonne idée de former un comité littéraire pour le conseiller. Diane Martin, Liliane Michaud, Donald Smith et Noël Audet demeurèrent attachés à la maison en y siégeant.

Cette année-là, je dus consacrer tout mon temps au développement du volet international. Nous avions promis la livraison du *Visuel* pour septembre à tous nos partenaires. Je m'occupais aussi de la production et des relations avec l'imprimeur. Sortir huit versions différentes comporte des risques d'erreurs et je voulais m'assurer personnellement du suivi des travaux. Il en est résulté une période de flottement à notre division littéraire. Mon manque de disponibilité, le succès prévu du *Visuel* et les nombreux contrats qui s'annonçaient ont fini par susciter de l'inquiétude et de l'angoisse chez certains de nos auteurs. Le *Visuel*, avec son succès à l'étranger, prenait toute la place. Conséquence de tout ça, Monique Proulx, qui préparait un nouveau roman, m'annonça son départ de Québec Amérique. Privée de Gilbert LaRocque et voyant que l'atmosphère très familiale de la petite maison qu'elle avait connue était en train de changer avec l'arrivée de nouveaux collaborateurs, elle décida de présenter son nouveau manuscrit ailleurs. J'en fus très peiné, mais après avoir discuté avec elle, je finis par comprendre l'importance pour un auteur d'être guidé par un directeur littéraire avec qui il peut créer des liens de confiance. Je suis porté à être très paternel avec les auteurs que j'aime et que j'ai travaillé fortement à faire connaître. Sauf qu'en 1992 je ne pouvais plus être aussi disponible qu'au début. Et Gilbert manquait terriblement à Monique, une écrivaine, une vraie, possédant la sensibilité de tous les grands artistes.

Étant donné que mon entreprise prenait de l'expansion, j'étais maintenant davantage centré sur la gestion et le développement. De toute manière, l'envergure inattendue que prenait Québec Amérique à cette époque m'obligeait à confier de plus en plus de responsabilités à des collaborateurs en leur laissant le plus de liberté possible. Je ne pouvais malheureusement plus coordonner les relations, jauger les affinités possibles entre les auteurs et les différents directeurs littéraires qui se sont succédé de 1985 jusqu'à tout récemment. Monique m'écrivit donc une longue lettre, chargée d'émotion, pour m'annoncer son départ. M'ont surtout affecté son incompréhension et son refus d'accepter l'évolution, la réussite de notre maison d'édition. Curieusement elle trouvait inacceptable que la littérature soit associée à des succès financiers : «Cela est effrayant et douloureux à entendre pour tous ceux qui écrivent afin d'essayer de grandir un peu l'être humain et qui sacrifient leur vie active pour infuser un peu de dignité à la culture d'ici. »

C'est tout le contraire qui se passa avec Marie-Éva de Villers, de l'École des Hautes Études commerciales de Montréal. Elle accepta de diriger une nouvelle collection qui accueillerait des ouvrages conçus par des professeurs et des chercheurs des HEC, une des plus importantes écoles de gestion en Amérique. Le premier titre publié fut un essai de Laurent Lapierre sur *L'Imaginaire et le Leadership*. D'autres titres devaient suivre dont plusieurs ont connu une carrière intéressante. Quelques-uns ont même accédé au rang de best-sellers.

RUPTURE AVEC ARLETTE COUSTURE

Le 27 février 1992, nous avons signé avec Stoddart un contrat pour la publication du tome 1 des *Filles de Caleb*. Nous étions partie au contrat comme agent. Curieusement, Arlette a accepté de recevoir 6 pour cent pour une édition en format «massmarket», l'équivalent de notre format compact pour lequel elle contestait justement les 7 pour cent qu'elle avait acceptés par contrat. Arlette a donc reçu un premier versement de 5 000 $ sur lequel elle devait nous remettre 1 500 $, d'après l'entente. Mais c'est un chèque de seulement 224 $ qu'elle nous fit parvenir. Elle avait pris l'initiative de déduire les honoraires de son avocat, Maître Claude Brunet, soit 1 276 $. J'ai donc retourné le chèque en lui rappelant son engagement à nous verser intégralement notre commission. Arlette ne voulant pas payer, nous avons dû retenir les 1 500 $ sur le paiement de ses droits d'auteurs. En recevant le rapport de droits, son mari Daniel Larouche s'est étonné de cette retenue et nous a demandé sur quelle disposition contractuelle nous nous étions fondés pour faire une telle déduction. Je l'ai référé à l'entente du 3 septembre 1991. Quand vint le tour du tome 2, Arlette et lui ont, à notre insu, voulu signer directement avec l'éditeur torontois, pour éviter d'avoir à nous payer évidemment. C'est Maître Brunet qui expédia une lettre à Stoddart signifiant que Québec Amérique n'avait droit à aucune commission. Nelson Doucet, le président de Stoddart, qui connaît bien les pratiques dans la vente de droits, m'informa de leurs manœuvres. Il envoya, quelques jours plus tard, une lettre à Daniel Larouche pour l'informer qu'il mettait fin aux négociations de sorte que le tome 2 n'a pas été publié en anglais.

C'est en juin 1992, après une longue et pénible discussion avec Arlette que la rupture se produisit. Je m'étais pourtant efforcé de lui faire comprendre que sa demande était complètement irrecevable. Son acharnement à poursuivre l'affrontement devenait insupportable pour moi et mon personnel. Par respect pour les auteurs de la maison qui avaient accepté les mêmes conditions inscrites à nos contrats depuis près de 20 ans pour les éditions en poche ou compact, il m'était impossible de revoir un contrat signé quatre ans plus tôt. D'autant plus qu'Arlette bénéficiait de conditions exceptionnelles dont la plupart des auteurs auraient été ravis de profiter.

Devant ma détermination, elle me lança : « Comme tu refuses de payer, je n'ai aucune raison de rester chez Québec Amérique. » Ce à quoi je répondis que justement notre patience avait atteint ses limites, que manifestement pour son bien et le nôtre, il valait mieux qu'elle aille se faire publier ailleurs. J'ai voulu conclure sur une note morale en lui rappelant que la vie ne pouvait se réduire à une question d'argent et qu'elle devrait faire un effort pour se défaire d'une frustration non fondée et utiliser son temps et son talent à ce qu'elle savait si bien faire, c'est-à-dire écrire. Et j'ajoutai pour finir que j'étais sans rancune à son égard et que je lui souhaitais bonne chance. Elle interrompit brusquement la conversation.

Pour bien leur montrer que je ne gardais envers eux aucune animosité, j'invitai Arlette et son mari à notre grande fête de la rentrée de septembre 1992. Quand je suis allé les saluer, j'ai bien vu par leur attitude froide et distante qu'ils n'étaient pas venus à ce lancement par courtoisie. Sur un ton frondeur, Arlette me remit un sachet de Lactaid avec ce commentaire : « J'ai été ta vache à lait pendant tellement longtemps que tu dois être sûrement allergique au lait. » Un employé de la maison, témoin de la scène, fut aussi étonné que moi. Le jour même, le magazine *L'Actualité* avait publié un article dans lequel je confirmais le départ d'Arlette de Québec Amérique, précisant que j'avais invité l'auteure des *Filles de Caleb* à se faire publier ailleurs à cause de son caractère difficile et de ses exigences démesurées.

Moi qui pensais alors que la page était tournée, je n'avais encore rien vu : à sa rancœur s'ajouta la hargne et sa frustration se changea en esprit de vengeance. À partir de ce moment, Arlette, aidée de son mari, a tout fait pour nous nuire et nous discréditer.

LA SORTIE DU *VISUEL*

La sortie du nouveau *Visuel* à Francfort en octobre m'a vite rappelé que la vie continuait. Et je me suis alors souvenu du fameux lancement de la première version à la Nouvelle-Orléans en 1986. Les éditeurs étaient toujours nombreux à venir à notre stand pour admirer notre ouvrage. La plupart, incrédules, pensaient qu'on avait tout simplement retouché des photos, tant la qualité des illustrations dépassait tout ce qui s'était fait jusqu'alors. Notre livre venait ainsi bouleverser complètement les normes de qualité établies. Aussi avons-nous fait en sorte que chaque chapitre s'ouvre avec une illustration reproduite en partie, avec sa structure informatique, pour bien montrer qu'il ne s'agissait pas de photos.

Plusieurs éditeurs de dictionnaires ou d'encyclopédies se sont donc retrouvés à notre stand pour nous dire qu'ils étaient intéressés à travailler avec nous. Ils songeaient à mettre à jour leurs propres produits en utilisant notre banque d'images. Mais François était très réfractaire à cette idée. Autant en France qu'aux États-Unis, les éditeurs avaient vite compris qu'avec la parution du *Visuel* une nouvelle norme dans la qualité de l'image venait d'être établie. Random House et Webster nous proposèrent de refaire leurs ouvrages en utilisant nos illustrations numériques. Rien de moins ! La multinationale Phillips de Londres était aussi vivement intéressée à les exploiter. Nous avions l'immense avantage de détenir tous les droits d'exploitation et de plus – atout incomparable – chaque illustration avait été conçue pour être modifiée facilement, dans ses formes comme dans ses couleurs, pour répondre à des besoins particuliers. Phillips avait bien saisi ces énormes possibilités

Quelques pages couvertures du *Visuel* publié en 22 langues
et vendu dans plus de cent pays à travers le monde

d'exploitation. Quelques mois plus tard, on nous proposa un contrat pour mettre sur cédérom cette banque d'images. Phillips voulait tous les droits d'exploitation et de commercialisation. Bien que leur offre fût assortie de conditions financières très intéressantes, nous l'avons refusée. Les contrats qui affluaient dans d'autres langues nous avaient vite fait comprendre tout le potentiel de notre projet et de notre banque d'images.

L'accueil fut donc enthousiaste. Quand il reçut le premier exemplaire pour son éditeur (Ernst Klett à Stuttgart), Andrea Ender s'exclama : « *Wunderschön* ! merveilleusement beau, fantastique, un livre à faire rêver. Il comble un véritable vide sur le marché. » En France, *Le Figaro littéraire* écrivit : « Une nouvelle génération de dictionnaires [...] est née : toutes les choses de la vie sont images [...] Oui, c'est la révolution au pays tranquille des dictionnaires. La tornade souffle depuis les rives du fleuve Saint-Laurent. Le *Visuel* est né à Montréal et va durablement et définitivement s'implanter de ce côté-ci de l'Atlantique [...] une idée simple et lumineuse [...] ce qui compte est l'ampleur de cet ouvrage. »

Le magazine *Le Point* ajoutait : « Les images sont excellentes. [Le *Visuel*] ... réalisé au Canada, est déjà une innovation. Elle prendra encore du relief dans la version hypermédia sur CD-Rom... ». Pour *Le Figaro Madame*, « on n'avait encore jamais vu dictionnaire aussi ludique. On l'ouvrirait, rien que pour le plaisir des yeux. » Quant à lui, *L'Événement du jeudi* de Paris avait bien saisi toute l'utilité du *Visuel* : « Comment définir la couleur de l'améthyste ? Qu'est précisément un pneu à carcasse radiale ? Quelle est l'exacte disposition des instruments dans un orchestre symphonique ? Un bon dessin vaut parfois un long discours [...] Les concepteurs du *Visuel* [...] ont planché sur les programmes de l'image électronique pour que la description désigne avec précision les termes de géographie, d'anatomie, d'astronomie, utiles pour comprendre le monde qui nous entoure. »

Au Québec, les journaux francophones ont réservé au *Visuel* un accueil plutôt tiède. Le journal *La Presse*, qui avait insisté pour obtenir l'exclusivité et être le premier à en parler, avait promis un traitement important mais, comme par hasard, c'est la rentrée littéraire parisienne qui nous délogea. Mon équipe et moi-même étions très déçus, d'autant plus que les nouvelles parutions en France avaient déjà fait l'objet de nombreux reportages dans les journaux et magazines français largement distribués au Québec. Seul le quotidien anglophone de Montréal, *The Gazette*, avait couvert convenablement la sortie en déclarant : « Des illustrations plus claires et détaillées que des photographies. Probablement le plus innovateur et le plus beau dictionnaire au monde. » Au cours de la fulgurante carrière du *Visuel*, ce sont ainsi les journaux étrangers qui accordèrent à l'ouvrage une plus grande considération. *Les Affaires* a été le seul journal francophone au Québec à saisir toute la dimension économique de ce projet. Avec les multiples éditions publiées dans plus de 20 langues, le *Visuel* a maintenant dépassé le cap des 5 000 000 d'exemplaires pour procurer à Québec Amérique des revenus de plus de 15 000 000 $. Combien de livres ou de projets d'édition au Québec peuvent prétendre avoir atteint de tels sommets ?

1993 : UNE BELLE DÉCOUVERTE, STÉPHANE BOURGUIGNON

L'année 1993 débuta avec Jean Pettigrew à la direction des éditions. Comme il avait pris soin de bien s'entourer, il put faire renaître le bulletin d'information à la fréquence d'un numéro tous les trois mois. Le premier accordait la une au jeune auteur d'un premier roman : Stéphane Bourguignon, une découverte de Noël Audet. *L'Avaleur de sable* fit l'unanimité. Un roman à la fois moderne et d'une grande simplicité. Dès les premières pages, on entre dans l'univers de l'auteur et de ses personnages. Nous étions très enthousiastes devant ce premier roman. Tellement qu'un critique, Jacques Allard, aujourd'hui notre directeur littéraire, n'a pas manqué de mettre un bémol au texte dithyrambique que nous avions mis en quatrième de couverture. Le style de Bourguignon, visuel et limpide, avait un rythme vigoureux. Le ton était parfois dramatique mais souvent humoristique. Dès sa sortie, j'ai apporté un exemplaire avec moi à Paris pour le remettre à Bernard Fixot, le nouveau président des Éditions Robert Laffont. En rentrant dans son bureau, je lui ai dit : « Bernard, ce livre est pour vous. » Fixot commença à feuilleter l'ouvrage puis me demanda quelques minutes pour mieux le parcourir. Je me suis donc retrouvé dans le bureau d'Antoine Audouard, son principal collaborateur, que j'avais déjà rencontré à quelques reprises. Quand je retournai auprès de Fixot, celui-ci m'annonça tout simplement : « Ça me plaît, je le prends. » En moins de dix minutes, l'accord était conclu, le tirage déterminé et la date de parution fixée. Fixot est l'un des éditeurs français que j'admire le plus. Franc et direct, il m'a dit non à de nombreuses occasions, mais j'aimais son attitude et sa façon très américaine de traiter les affaires.

UNE GRANDE ŒUVRE
DE MADELEINE OUELLETTE-MICHALSKA

La même année, un autre livre d'une romancière célèbre au Québec, Madeleine Ouellette-Michalska, a aussi retenu l'attention du public et de la critique : il s'agit de *L'Été de l'île de Grâce*, un grand récit écrit avec beaucoup de talent, un roman dense et émouvant. Quelle belle réussite pour souligner ses 25 ans d'écriture ! En plus du succès critique et populaire, ce roman remporta le prix France-Québec et le prix Arthur-Buies. L'auteure se retrouva également finaliste à d'autres prix littéraires avant d'être nommée « Personnalité de la semaine » dans *La Presse* du 17 octobre 1993. Cette année-là, huit autres titres ont été publiés en littérature adulte, tandis que chez Québec Amérique Jeunesse, de grands changements se préparaient.

NOUVELLE ÉQUIPE AU SECTEUR JEUNESSE

Avec Anne-Marie Aubin comme éditrice, la littérature jeunesse prit une expansion remarquable. D'abord, il y eut le déménagement à Boucherville, avec une nouvelle équipe. Chantal Vaillancourt assuma la direction générale, puis ma fille Caroline y alla, après des études en design, pour s'occuper de la promotion et de la production. Après un an, le personnel comptait cinq personnes. Avec 20 nouveaux titres, la production de 1993 démontra bien que cette jeune équipe voulait créer une nouvelle synergie. Grâce à des auteurs déjà bien établis, nous voulions occuper une place privilégiée sur le marché et nous y sommes parvenus. C'est à cette époque qu'arrivèrent Dominique Demers et Anique Poitras. Le catalogue jeunesse de Québec Amérique comptait déjà les Yves Beauchemin, Christiane Duchesne, François Gravel, Élisabeth Vonarburg et Michèle Marineau, pour n'en nommer que quelques-uns. Quelle équipe s'est construite !

CONRAD BLACK,
UN HOMME INTELLIGENT QUI AIME LE POUVOIR

S'il y a un livre qui n'est pas passé inaperçu en novembre, c'est bien le *Conrad Black par Conrad Black*. L'auteur, un des plus puissants bâtisseurs d'empire médiatique au monde, a souvent fait la une des journaux à cause de ses idées controversées et de sa ténacité légendaire. Il nous a donné une autobiographie percutante dans laquelle il passait en revue les grandes étapes de sa vie, dévoilant comment il a accompli ses hauts faits d'armes ou encore donnant son opinion sur plusieurs grands de ce monde. Le livre fut publié simultanément au Canada anglais, en Grande-Bretagne et en Australie.

Je me suis rendu à Toronto pour signer le contrat et rencontrer pour la première fois le célèbre homme d'affaires. Personnage imposant aux allures de grand seigneur, il m'a reçu dans son bureau avec courtoisie en me faisant d'abord savoir qu'il connaissait bien le Québec, car il était né à Montréal dans une riche famille anglo-saxonne. Mais c'est dans la région de Toronto qu'il avait grandi. «Je suis allé par la suite m'installer au Québec dans les années 60. Je voulais fuir un Toronto trop inerte et ultra-conservateur», me dit-il. Il me raconta encore qu'étudiant, il était rebelle et anticonformiste. C'est ainsi qu'il a tenu tête aux autorités universitaires anglo-protestantes, si bien qu'il se vit refuser la poursuite de ses études de droit en Ontario. Il contourna aisément ce qui aurait pu devenir un échec scolaire en venant compléter ses études de droit à l'Université Laval de Québec. Il a, par la suite, fait des études en civilisation canadienne-française à l'Université McGill. Fait à souligner, il est l'auteur d'une biographie retentissante sur Maurice Duplessis.

J'avais bien sûr organisé une conférence de presse pour le lancement de la version française de son livre. Black est arrivé dans son jet privé à l'aéroport de Dorval. Il m'a alors raconté qu'il avait acheté cet avion à un prix dérisoire d'une compagnie qui était sur le point de déposer son bilan. Au bout de trois jours passés en sa compagnie, je pouvais dire : voilà quelqu'un qui a une très haute opinion de lui-même. Ce qui ne l'empêche pas d'être charmant. Il aime être associé à des personnages puissants, aussi retrouve-t-on plusieurs premiers ministres parmi ses relations ainsi que des ex-politiciens comme Margaret Thatcher et Henry Kissinger.

J'avais réservé une suite dans un grand hôtel de Montréal pour son séjour. Le lendemain de son arrivée, avant la conférence de presse, je suis allé prendre le petit-déjeuner avec lui. Je lui ai apporté quelques journaux du matin qui mentionnaient sa présence à Montréal et faisaient des commentaires sur son livre. J'attirai son attention sur un article en première page de *La Presse* où le journaliste faisait dire à son patron Roger D. Landry que Black tenait des propos inexacts à son endroit. Landry n'avait pas apprécié que Black dévoile le double jeu qu'il avait joué pour obtenir le poste de président de la filiale Unimédia à Montréal. Le patron de *La Presse* déclarait enfin qu'il allait répondre énergiquement. Black m'a alors dit : « Je vais régler son problème et je t'assure qu'il ne répondra pas. » Il prit le téléphone et demanda à parler à Paul Desmarais, président de Power Corporation, propriétaire comme on le sait du journal *La Presse*. Quelques minutes plus tard, il entrait en conversation avec Desmarais. Je me suis retiré par discrétion. La conversation terminée, il m'a tout simplement dit : « Landry ne fera pas de commentaire. » Le lendemain, je suis allé le reconduire à son avion qu'il m'a aimablement fait visiter. Il m'a aussi révélé qu'il avait un bateau de 30 mètres amarré en Turquie et qui servait pour recevoir des personnalités politiques avec qui il entretenait des relations afin d'assurer la bonne marche de ses affaires. Je lui ai alors demandé pourquoi il avait choisi la Turquie. Avec un sourire, il m'a répondu que c'était beaucoup moins cher et surtout beaucoup plus discret. Conrad Black est un homme peut-être suffisant, mais il est d'une grande intelligence, et son besoin de pouvoir est vertigineux.

ARLETTE S'ENFIÈVRE

Le 20 janvier 1993, Arlette Cousture, par l'entremise de son avocat Maître Claude Brunet, nous expédia une lettre visant à mettre fin unilatéralement à l'entente signée le 15 février 1988, laquelle nous autorisait à céder certains droits dérivés. Le but de la manœuvre était évident : nous priver des revenus provenant de cessions que nous avions déjà accordées aux Éditions de La Table Ronde à Paris en 1988. Aussi avait-elle pris l'initiative en décembre 1992 de signer à notre insu un accord avec le Club du livre France Loisirs, sachant bien que ce geste allait provoquer un autre conflit. Elle a bien tenté de cacher le contrat avec France Loisirs signé avant la révocation du 20 janvier, sans doute pour donner à sa cause plus de consistance sur le plan juridique. C'est ainsi qu'elle changea la date du contrat du 22 décembre pour le 2 février. Elle réussit donc à nous déjouer en affirmant détenir tous les droits sur son livre. France Loisirs signa de bonne foi l'entente. Mais chez La Table Ronde, la direction refusa de changer les dispositions du contrat et nous avisa des tractations d'Arlette. La diffusion de la série télévisée tirée des *Filles de Caleb* débutait en France et connaissait beaucoup de succès. La Table Ronde avait réimprimé le roman, comptant profiter grandement de cette vitrine qui relançait les ventes.

Pendant plusieurs mois, une abondante correspondance s'échangea entre les éditeurs français et moi, et entre Maître Brunet et moi. Celui-ci persistait à soutenir que Québec Amérique n'avait droit à aucun partage des revenus depuis la révocation de l'entente signifiée le 20 janvier. Je fis valoir énergiquement les droits de Québec Amérique auprès de ces éditeurs en invoquant certaines clauses des contrats qu'Arlette avait signés. J'ai donc insisté pour qu'ils acceptent de surseoir à tout paiement et de déposer les montants concernés dans un compte en fiducie.

Malgré les menaces et les pressions des procureurs d'Arlette, France Loisirs se rangea à mes arguments en mettant en fiducie 40 pour cent des revenus en droits qui devaient revenir à notre maison. De plus, j'avais déjà intéressé ce Club de livre au roman d'Arlette et nous en étions même arrivés à un accord en novembre 1992. Les avocats de La Table Ronde me donnèrent aussi raison, mais devant les prétentions et l'insistance de Maître Brunet, ils décidèrent de demander à la justice du Québec de statuer sur les obligations découlant des contrats entre Arlette et Québec Amérique et entre La Table Ronde et Québec Amérique. Maître Daniel Payette, qui avait été chargé de représenter La Table Ronde, nous écrivit pour nous dire qu'il donnait raison à Maître Claude Brunet, l'avocat d'Arlette. Avec mon procureur, Maître Jean-Claude Gosselin, j'ai de nouveau contesté fermement leurs prétentions.

L'affaire fut entendue en cour devant l'honorable juge Diane Marcelin. Celle-ci rendit un jugement qui réfutait l'interprétation qu'avaient donnée Maîtres Claude Brunet et Daniel Payette, deux avocats qui se présentent pourtant comme des spécialistes en droits d'auteur. Le jugement mentionnait notamment ceci :

«...[Mme Couture] a donné à Québec Amérique le droit exclusif : d'imprimer, publier, reproduire et vendre sous forme de livre, en langue française, pour tous les pays [...] Québec Amérique ne se borne pas simplement à représenter Mme Couture ; elle fournit son travail d'édition effectué sur l'œuvre et, de plus, elle est titulaire de ce droit. Il en résulte un fait incontournable : Québec Amérique ne peut être mise de côté pour la coédition en langue française sous forme de livre…»

Ce jugement venait récompenser ma persévérance dans cette lutte pour faire respecter des contrats signés de bonne foi. Les montants retenus par La Table Ronde dépassaient les 550 000 $, qu'Arlette voulait garder pour elle en révoquant un mandat qui avait déjà été exercé. Le jugement confirma donc que 40 pour cent des revenus devaient revenir à Québec Amérique, tel que le stipulait le contrat qu'avait déjà accepté Arlette.

La saga devait pourtant continuer. Le 5 avril, Arlette Cousture déposa une poursuite de 386 241,92 $. Cette riposte fut annoncée à la une des journaux, Arlette y déclarant qu'elle s'était fait rouler par Québec Amérique. Elle demandait l'annulation du contrat du 2 mai 1988 relié à la publication d'une édition populaire en format compact. Elle déclarait qu'elle avait dû signer ce contrat sous pression sans avoir eu le temps de réfléchir et d'en étudier les conséquences financières. Pour justifier sa réclamation, elle affirmait que s'il n'y avait pas eu de format compact, on aurait vendu le même nombre d'exemplaires en grand format. Son mari a renchéri par la suite, soutenant que le prix de vente n'avait aucune influence sur les ventes. Il espérait ainsi démontrer après quatre ans que l'édition en format compact était une erreur. Lui et sa femme réclamaient donc les mêmes droits que ceux qu'elle touchait sur son édition originale.

Je me trouvais en Australie au moment où fut déposée cette poursuite. Je demandai aux gens de mon bureau de ne faire aucune déclaration. D'ailleurs, aucun média n'a demandé à connaître notre point de vue sur la question… Pourtant, selon l'angle sous lequel la nouvelle avait été présentée, Québec Amérique était le gros méchant qui avait négligé de payer des droits à madame Cousture. Il n'y eut donc aucun commentaire de notre part, mais les auteurs furent nombreux à téléphoner à nos bureaux. Ambigu et biaisé, le compte-rendu des journaux avait créé une grande confusion chez beaucoup d'entre eux. Certains appelaient même pour savoir si c'était vrai qu'Arlette n'avait pas été payée. Luc

Roberge, directeur général, tenta de rassurer tout le monde. Pendant ce temps, je me morfondais et me tourmentais pour essayer de comprendre l'attitude d'Arlette. Pourquoi était-elle si furieuse, si agressive ? Et comment pouvait-elle, sous serment, affirmer qu'elle avait dû signer ce contrat sous la contrainte et donc invoquer de fausses représentations ? La méchanceté d'Arlette Couture me paraissait tenir d'un comportement à la fois étrange et rare. Son entêtement, sa hargne sans limites m'estomaquaient. Avait-elle posé ce geste pour nuire à la réputation de Québec Amérique, pour me punir ? Était-ce son avidité excessive qui l'avait poussée à entreprendre une action aussi insensée qu'irrationnelle ? Comment le succès pouvait-il rendre quelqu'un aussi déraisonnable ? Toutes ces questions me trottaient dans la tête sans que je puisse y trouver réponse.

1994 : JEAN PETTIGREW
CRÉE LA COLLECTION « SEXTANT »

C'est Élisabeth Vonarburg, auteure bien connue dans les milieux de la science-fiction au Québec, au Canada anglais, aux États-Unis et en France, qui inaugura la collection « Sextant » avec *Les Voyageurs malgré eux*. Jean Pettigrew s'intéressait depuis toujours aux genres dits populaires comme le fantastique, le merveilleux, le polar et la science-fiction. Il choisit d'emblée le format poche comme édition originale pour rendre accessible et visible cette littérature qu'on désigne souvent à tort comme de la paralittérature. Les maquettes de présentation étaient sobres et de bon goût. Jean avait tout un défi à relever pour être concurrentiel sur un marché totalement dominé par les productions étrangères. Il publia sept titres en 1994, dont *L'Arbre de l'été*, de Guy Gabriel Kay, l'auteur canadien de *fantasy* le plus lu à travers le monde. Pettigrew avait ainsi réuni des auteurs chevronnés dès la première année.

Malheureusement, au printemps 1995, le départ de Jean entraîna le retrait de la collection de notre catalogue après la publication de 13 titres. Il avait travaillé très fort comme directeur des éditions, mais comme il était originaire de la région de Québec, il était très peu connu dans les milieux littéraires de Montréal. Cet inconvénient avait amené plusieurs auteurs à se plaindre. Pourtant Jean était totalement dévoué à sa tâche. Il me faut aussi ajouter qu'entre lui et le directeur général Luc Roberge, la complicité ne s'était pas établie. Quelques mois plus tard, j'appris qu'il avait fondé à Québec une nouvelle maison d'édition entièrement consacrée aux genres littéraires qu'il affectionnait. Je n'ai pas manqué dès que j'en ai eu l'occasion de le féliciter pour son initiative et en même temps pour son audace. Nous avons libéré les auteurs de la collection « Sextant » des contrats qui les liaient à nous. La plupart se retrouvent aujourd'hui avec Jean aux Éditions à Lire, une nouvelle maison qui a su trouver son créneau. Je suis le premier à me réjouir de sa réussite.

UNE BIOGRAPHIE DE JACK KEROUAC

À la rentrée littéraire de 1994, Donald Smith dirigea la publication d'un un ouvrage remarquable : *Memory Babe. Jack Kerouac.* Sur près de 800 pages, Gérard Nicosia décrit la vie et la carrière de Kerouac depuis son enfance de Canadien français sans le sou dans la ville ouvrière de Lowell, au Massachusetts, jusqu'à sa célébrité, d'abord comme joueur de football au niveau collégial, puis comme romancier. Cette biographie nous fait connaître un Kerouac séduisant, d'une grande force physique et prodigieusement doué. Mais c'était un marginal, un original dont l'écriture s'inspirait largement de la sous-culture des Noirs, du jazz et de la drogue. Aussi connut-il une vie tumultueuse : considéré comme un écrivain hors-la-loi, pourchassé par les journalistes et des agents du FBI, l'homme s'est senti incompris de tous, à l'exception de sa mère. Il sombra dans l'alcool, ce qui l'a entraîné dans une spirale d'autodestruction. Il mourut à Saint Petersburg en Floride en 1969, à l'âge de 47 ans, laissant derrière lui une œuvre imposante de près de 30 ouvrages qui a transformé la littérature américaine comme la littérature mondiale. Kerouac nous a fait découvrir le

Gerald Nicosia

Memory Babe

Une biographie
critique de

Jack

Kerouac

QUÉBEC AMÉRIQUE

langage de la rue et du blues. Le roi des beatniks, le grand-père des hippies est maintenant une légende littéraire et culturelle. Ce livre ne fit pas ses frais, mais c'est un ouvrage que je suis fier de voir figurer à notre catalogue. La biographie fut reprise en France par La Table Ronde.

FÉLIX LECLERC ET LE DÉRAPAGE DE RÉGINALD MARTEL

Le journaliste et critique de *La Presse*, Réginald Martel, profita de la sortie d'une biographie de Marcel Brouillard sur Félix Leclerc pour tenir des propos outranciers. Il n'avait pas aimé le livre de Brouillard, c'était son droit. Je suis même prêt à admettre que ce livre n'aurait pas dû se retrouver dans la collection «Littérature d'Amérique». Ce fut une erreur de notre part. Cela dit, la virulence de ses propos, teintés d'une jalousie évidente, m'est apparue comme un dérapage journalistique inacceptable. Sans ménagement, il profita de sa tribune de critique à *La Presse* pour démolir ce qui se publiait chez Québec Amérique. «On quitte le bateau», écrivait-il aussi, pour annoncer le départ d'auteurs, sans avoir pris la peine de se renseigner avant de faire une affirmation aussi gratuite. Malheureusement pour lui, aucun auteur n'a quitté la maison cette année-là ni depuis. Au contraire, certains qui croyaient être mieux servis ailleurs ont manifesté le désir de réintégrer la maison. Il y a une chose que Martel ne semblait pas savoir, c'est qu'un éditeur a toujours le choix de refuser un manuscrit, même si l'auteur fait déjà partie de son écurie. Depuis 1994, cette situation s'est produite à quelques reprises. Mais le refus d'un manuscrit ne signifie pas que les liens sont rompus avec un auteur.

Plus loin dans son article, Martel ajoutait qu'André Vanasse avait quitté Québec Amérique avant que «le bateau coule», amenant avec lui deux auteurs. Or il écrivait ces faussetés sans même avoir pris la peine de vérifier auprès des intéressés, dont André Vanasse lui-même. Ce dernier a été le premier à m'appeler pour exprimer son indignation. Comment un journaliste expérimenté pouvait-il se permettre des affirmations aussi gratuites ? La vérité c'est que Vanasse m'avait signifié son intention d'amener à sa nouvelle maison d'édition les deux auteurs qu'il avait découverts. Cela n'avait rien d'exceptionnel, car il est fréquent dans le monde de l'édition que des auteurs suivent leur directeur littéraire.

Plusieurs auteurs de la maison m'ont appelé pour exprimer leur désapprobation. Pour eux l'expression « le bateau coule » insinuait à l'évidence que Québec Amérique connaissait de graves problèmes financiers ou était en sérieuses difficultés. C'est comme ça, aussi, qu'on avait perçu le message dans tout le milieu. Or ses propos étaient faux. Son texte me paressait une insulte à la profession qu'il exerce. Deux journalistes, collègues de Martel au journal *La Presse*, m'ont alors suggéré d'adresser une plainte au Conseil de presse.

Blessé, je n'ai pas répondu personnellement à Martel. J'ai préféré faire paraître une réplique à mes frais dans *La Presse* et *Le Devoir* pour rétablir les faits et mettre en évidence nos réalisations, nos activités littéraires, notre présence sur la scène internationale et signaler la place qu'occupaient les œuvres de nos auteurs. Ironiquement, l'année 1994 fut pour Québec Amérique la meilleure depuis sa fondation au chapitre des résultats financiers. De plus, grâce à notre qualité éditoriale, nous avons, lors des Mercuriades, décroché le titre d'« Entreprise culturelle de l'année ».

Un tel comportement démontrait encore une fois qu'au Québec, malheureusement, on a bien du mal à accepter la réussite. Je reconnais évidemment qu'avec les succès sans précédent que nous avons connus dans le monde de l'édition, nous avons créé des attentes énormes, souvent démesurées. Les réactions du milieu, dans ces conditions, sont inévitables. Nous avons été, en cette circonstance comme en d'autres, victimes de notre propre succès.

Cela dit, notre maison a toujours entretenu des relations saines et positives avec les critiques littéraires. Ceux-ci exercent un métier fort utile et la plupart font leurs recensions avec compétence et doigté, tout en prenant garde de ne pas blesser l'auteur. Ce ne fut pas toujours le cas avec monsieur Martel.

Plusieurs de nos auteurs se sont plaints d'avoir fait l'objet de critiques acerbes et injustes de sa part. Cependant, je ne cherche pas à démolir l'excellent critique que reste souvent Réginald Martel, lui dont la maîtrise de la langue demeure si remarquable. Il me semble toutefois que ses commentaires ont souvent été trop influencés par ses humeurs.

ARTISTES, ARTISANS ET TECHNOCRATES, PEUVENT SE DIRE LES GENS D'AFFAIRES. IL FAUT *PILOTER DANS LA TEMPÊTE*, SE DIT UN AUTRE.

Publiés sous la direction de Marie-Éva de Villers, ces deux titres de la collection HEC se sont retrouvés sur la liste de nos best-sellers. *Artistes, artisans et technocrates* de Patricia Pitcher créa une véritable onde de choc, suscitant un intérêt exceptionnel, autant dans le grand public que chez les gens d'affaires et même dans le difficile milieu universitaire. L'originalité de l'étude de madame Pitcher attira l'attention de sommités internationales. D'abord Abraham Zaleznik, de la Harvard Business School, l'a présenté comme «un ouvrage inusité dans les annales de la *littérature* de gestion…». Henry Mintzberg, de l'Université McGill, en dit ceci : «Une œuvre capitale, écrite avec un raffinement et une élégance qui ne sont pas communs dans la *littérature* de gestion.» Pour le *Globe and Mail*, l'ouvrage de Patricia Pitcher «… modifie du tout au tout notre compréhension du leadership. C'est exactement le genre de livre de gestion dont nous avons tant besoin et qui est si rare. »

Patricia a été économiste en chef de la Bourse de Toronto, vice-présidente principale de la Fédération canadienne de l'entreprise indépendante, membre de nombreux conseils d'administration avant de devenir directrice du programme de doctorat et professeure de leadership à l'École des HEC. C'est une femme dynamique et rigoureuse, recherchée comme conférencière et qui, grâce à son intelligence et à sa capacité d'évaluer le comportement des acteurs

LÉON COURVILLE

PILOTER
DANS LA TEMPÊTE

COMMENT FAIRE FACE
AUX DÉFIS DE LA NOUVELLE ÉCONOMIE

QUÉBEC / AMÉRIQUE
PRESSES
HEC

**Artistes,
artisans** et
technocrates
dans nos
organisations

Rêves, réalités et
illusions du leadership

Patricia Pitcher

Préface de Henry Mintzberg

dans les organisations, a pu donner cette analyse sans égale sur les trois types de leaders. On ne s'étonnera pas d'apprendre que le livre a connu un succès retentissant à travers le monde. Publié aux États-Unis, en France, en Allemagne, en Suède, aux Pays-Bas et au Canada anglais, il demeure toujours d'actualité puisqu'il continue à bien se vendre, particulièrement dans différents programmes d'études universitaires.

Un autre titre m'a grandement intéressé parce qu'il arrivait à point dans un environnement économique de plus en plus perturbé et changeant. Il s'agit de *Piloter dans la tempête*. Cet ouvrage de Léon Courville restera lui aussi longtemps d'actualité, car c'est un texte de référence éclairé et percutant sur les nouvelles tendances de la gestion. L'auteur commentait ainsi son essai : « La croissance économique facile a disparu : elle n'est plus en mesure de soutenir les aspirations qui ont profondément animé l'Occident depuis un siècle. On n'a pas encore mesuré la brutalité du changement, encore moins les adaptations qui s'imposent pour répondre harmonieusement à la nouvelle réalité de l'économie. Nous devons passer de la domination du pouvoir à la domination du savoir. Le commandement et les incantations de la direction vont laisser la place à l'inspiration des gens sur le terrain parce que ceux-ci connaîtront mieux les conditions du marché et la façon d'y répondre. Proximité du marché, taille et objectifs limités, créativité et flexibilité, tension permanente, voilà les caractéristiques de l'entreprise qui veut réussir aujourd'hui. » Quelle pertinence pour un ouvrage qui date de près de cinq ans !

Je serais très heureux que Léon Courville nous donne une suite à son livre, avec en tête la nouvelle économie et les nouveaux défis de la mondialisation. Ce prestigieux auteur est un diplômé de l'École des HEC qui détient aussi un doctorat en économie de la Carnegie-Mellon University. Il a enseigné l'économie à la Graduate School of Management de l'Université de Rochester et aux HEC de 1974 à 1984. À ce dernier endroit, il a succédé à nul autre que Jacques Parizeau comme directeur de l'Institut d'économie appliquée. En 1984, il a été nommé vice-président et économiste en chef de la Banque Nationale du Canada dont il est devenu le président en 1993. Il vient de prendre une retraite bien méritée qui lui laisse sans doute du temps pour écrire. Si j'insiste, c'est queLéon Courville est resté un intellectuel et un observateur perspicace de la scène économique tout en étant patron d'une grande banque. Voilà qui est peu commun dans un milieu dominé par l'argent et les profits.

UNE DATE IMPORTANTE : LE 6 MAI 1994

Après tant de propos sérieux, j'en arrive à un aveu plus candide que j'hésitais à faire. Il y eut pour moi, en cette année 1994, un jour très important : le 6 mai. C'est le jour où ma fille Caroline a mis au monde Grégory. Je suis donc devenu grand-père. Pour la première fois ! Incroyable ! Dès le premier regard que j'ai porté sur mon petit-fils, j'ai senti que sa présence allait me changer, provoquer chez moi un questionnement profond. Et je me suis follement attaché à lui. Jamais je n'aurais pensé avoir une telle réaction. Cet enfant a rapidement occupé mes pensées au point de modifier mes intérêts et mon emploi du temps. Dès lors, j'ai sérieusement commencé à songer à la retraite et donc à préparer la relève chez Québec Amérique. C'est ainsi qu'une transition par étapes s'est mise en branle. Elle est toujours en cours aujourd'hui.

UN BILAN EXCEPTIONNEL

Sur le plan littéraire, l'année fut aussi prolifique que les précédentes avec 33 titres dont 11 pour la jeunesse. La collection « Littérature d'Amérique » accueillit notamment les romans d'Hélène Rioux, de Roger Fournier et de François Gravel. Sous la direction de Sébastien LaRocque et de Donald Smith, la *Correspondance Gilbert LaRocque et Gérard Bessette* fut publiée. Plus qu'une simple correspondance entre auteur et éditeur, cet ouvrage était révélateur de la complicité qui s'était établie entre ces deux grands écrivains. LaRocque et Bessette s'y entretiennent des mécanismes internes qui régissent l'acte d'écrire. Cette correspondance rédigée dans une langue souvent assez verte fourmille également d'anecdotes savoureuses sur la petite histoire du monde littéraire québécois.

À la section jeunesse, Dominique Demers signa deux romans qui sont devenus rapidement des best-sellers. Une version junior du *Visuel* sortit également en français et en anglais. De plus, plusieurs réimpressions du grand *Visuel* venaient confirmer le succès incomparable de ce projet. Plus de 500 000 exemplaires sortirent des presses au cours de l'année. Au Japon, la réception fut exceptionnelle. Au départ, le tirage prévu était de 30 000 exemplaires. L'éditeur Dohasha fit une campagne publicitaire si réussie qu'il dut revoir le tirage initial. Comme les commandes fermes avaient grimpé à 60 000 exemplaires, il communiqua avec nous en catastrophe pour porter le tirage à 100 000 exemplaires. Nous avons dû alors revoir l'échéancier de production. Considérant qu'il fallait compter 44 jours pour la livraison par bateau, il devenait impossible de garantir qu'il recevrait le livre avant Noël. Dohasha, sûr de connaître un grand succès commercial, a donc décidé de recourir aux grands moyens et de noliser des avions-cargos. C'est ainsi que 60 000 exemplaires de la version anglo-japonaise du *Visuel* ont été expédiés à temps. Mais ce fut une opération fort coûteuse qui a laissé une marge de profit bien mince pour notre partenaire nippon.

Par ailleurs, le docteur Robert Patenaude nous donna avec son livre, *Les Maladies malignes du sang*, un témoignage à la fois simple et émouvant sur sa propre maladie. Tout avait commencé en 1982, quand il n'était âgé que de 23 ans. Étudiant en médecine à l'Université de Montréal, il avait appris qu'il était atteint de la leucémie. Heureusement, son histoire finit bien. Non seulement a-t-il vaincu la maladie, mais il a été transformé par elle. Aujourd'hui, le docteur Patenaude pratique la médecine d'urgence et s'occupe en même temps de l'œuvre qu'il a fondée : la Fondation de la greffe de moelle osseuse.

Ainsi se terminait l'année 1994 qui soulignait en même temps les 20 ans de Québec Amérique. Notre personnel comptait à ce moment-là 43 personnes dont plus de la moitié étaient affectées à la division internationale. Nos états financiers révélaient des résultats exceptionnels surtout, il faut le dire, à cause de la performance du *Visuel* dans le monde. Nous avions pris à temps le virage technologique et consolidé notre présence tant au Québec qu'à l'étranger. Notre stratégie de conquête d'autres marchés par des produits de qualité avait été la bonne. De plus, grâce à l'expérience acquise et à la maîtrise des nouvelles technologies, nous étions prêts pour l'ère du multimédia et de l'Internet.

Cinquième partie: 1995-2000

Au temps du multimédia et de l'Internet, le livre reste indispensable

Au moment d'aborder la dernière partie de mon récit, je me retrouve devant un paradoxe. Plus je me rapproche du présent, plus je me sens loin de plusieurs des activités que j'avais décidé de confier progressivement à des collaborateurs. Il me faut donc faire appel à l'indulgence du lecteur. Comme je n'aime pas parler de ce que je ne connais pas bien, je laisserai à d'autres le soin d'en parler plus tard. Une autre difficulté s'ajoute : je n'ai pas encore suffisamment de recul pour bien apprécier les changements si nombreux, si importants de cette époque de transition. Je suis encore l'ordre des années, comme je l'ai fait depuis le début, en tâchant de retenir les faits significatifs de cette période.

1995 : Transition et renouvellement

L'année 1995 a marqué le début de la grande transition. Après 20 ans, la maison avait atteint son équilibre éditorial. Notre catalogue regroupait à ce moment-là des œuvres littéraires exceptionnelles, un répertoire jeunesse abondant et riche, des essais utiles, souvent percutants, sans compter des ouvrages de référence remarquables, distribués et traduits sur les cinq continents. Nous étions prêts à explorer les possibilités du multimédia. Et le *Visuel* devait être notre rampe de lancement. Nous avions fait preuve tout au long de notre cheminement d'une capacité réelle d'adaptation et d'évolution. Aussi devions-nous réagir à cette évidence que le métier d'éditeur était en pleine mutation avec l'arrivée des nouvelles technologies et la popularité de l'Internet. Nous le savions déjà : la littérature elle-même allait connaître de nouveaux supports et de nouvelles formes.

Comme je l'ai laissé entendre déjà, j'avais également en tête de ralentir mes activités, d'être moins présent dans la gestion et de préparer avec mes collaborateurs une structure de gestion. J'ai délaissé progressivement la direction des ventes à l'international pour la confier à Jean-Pierre Servant. Très bien préparé sur le plan théorique, avec une licence en droit et un MBA spécialisé en marketing, Jean-Pierre a donc été nommé vice-président de notre division Québec Amérique International. Sur le plan de l'éditorial, François préparait une encyclopédie visuelle des aliments et un cédérom qui devait exploiter le contenu du *Visuel* mais en y ajoutant de l'animation et du son. Caroline, très active maintenant dans la section jeunesse, travaillait à plein temps sur une série encyclopédique en 12 tomes, *Cyrus*, entreprise qui a demandé beaucoup d'efforts et d'imagination. La série était appelée à connaître un grand succès. Malheureusement, elle devait prendre fin sur une note désolante. Pour le *Visuel*, il en allait tout autrement.

LE *VISUEL* EN CÉDÉROM

Après avoir fait l'unanimité dans sa version imprimée, le *Visuel* était l'instrument tout indiqué pour ouvrir la voie à une gamme de produits multimédias. À l'image et au mot s'est greffée la prononciation en trois langues : en français, en anglais et en espagnol pour la première édition. Puis l'animation a été utilisée chaque fois qu'une image statique ne pouvait pas complètement exprimer une réalité. Attrayant, éducatif, rapide et précis, ce premier *Visuel* interactif a nécessité un investissement de plus de 1 000 000 $ et a demandé deux ans de développement. L'équipe étant jeune, la formation faisait partie de l'aventure. Les problèmes techniques aussi. Ils se sont multipliés à tel point que pour obtenir enfin un produit fini, il a fallu un an de plus que prévu. Bref, en 1995, les délais nous ont causé d'énormes problèmes pour nos ventes à l'étranger. Des partenaires importants, qui nous avaient garanti des quantités substantielles, ont dû annuler leurs commandes.

Tout de même, l'équipe avait préparé un prototype montrant toute la richesse et les possibilités du cédérom. C'est ainsi que nous avons pu nous présenter au jury du Prix Moëbius. Les organisateurs avaient d'ailleurs insisté pour que, même à cette étape préparatoire, nous allions devant le jury de la Commission européenne qui patronnait l'événement. Et les 20 membres du jury, spécialistes internationaux de l'informatique, nous ont décerné le Prix ! Notre étonnement fut complet, car 28 autres produits en provenance de 15 pays dont les États-Unis, le Japon, la France et la Grande-Bretagne étaient inscrits à ce concours. Au moment de remettre le prix, le président du jury a souligné la très grande qualité de notre production, son originalité, son envergure et son accessibilité tant par le contenu que par ses caractéristiques de navigation et d'interface. Le comble : notre *Visuel CD* avait été préféré à un produit développé par Corbis, une compagnie appartenant à Bill Gates !

Sorti en 1996, le *Visuel CD* a ainsi connu dès son lancement un succès qui allait en faire le produit cédérom le plus vendu au Québec. En France, le groupe Havas Interactif fut notre partenaire. D'autres ont suivi dans plusieurs pays dont le Japon, l'Angleterre, les États-Unis, l'Allemagne, le Brésil, le Portugal, l'Italie, l'Espagne et la Norvège. Le tirage, toutes éditions confondues, a dépassé les 200 000 exemplaires, ce qui finalement fit de cette opération une aventure très rentable. L'équipe, fort motivée par ce succès, devait concevoir par la suite des projets encore plus ambitieux dont je parlerai un peu plus loin.

PIERRE CAYOUETTE, ÉDITEUR

Il y eut du nouveau du côté de la direction éditoriale. Le 5 octobre 1995, j'annonçais la nomination de Pierre Cayouette comme éditeur. Il succédait à Jean Pettigrew qui nous avait quittés au printemps. Journaliste connu et respecté, Pierre possédait toutes les qualités pour devenir un éditeur littéraire. Comme journaliste au *Devoir*, il avait occupé plusieurs postes : directeur du cahier *Livres*, chef de pupitre et directeur adjoint de l'information. Il était jeune mais expérimenté et détenait une formation en littérature et en journalisme. Il avait aussi été chargé de cours à l'Université du Québec à Montréal. C'était un nouveau défi, exaltant pour lui, mais il ignorait à quel point le métier d'éditeur comporte des contraintes de gestion qui souvent se heurtent aux exigences des auteurs, le travail intellectuel chevauchant continuellement les considérations financières.

Dès son arrivée, je lui ai demandé de m'accompagner à Francfort. Cette grande foire du livre demeure une excellente occasion de s'initier au métier. Il a apprécié son expérience, mais à son retour à Montréal, lorsqu'il s'est plongé dans le feu de l'action, la réalité l'a vite rattrapé. À peine huit mois plus tard, il me remettait sa démission. La gorge nouée, il m'apprit, en avril 1996, sa décision de retourner au journalisme. Il avait essayé honnêtement d'apprivoiser ce nouveau métier, mais il avait découvert que sa place était ailleurs. Il reprit donc son travail au *Devoir*. J'ai été déçu, mais j'ai compris et accepté la situation. Sauf que je me retrouvais une fois de plus sans éditeur, ce qui contrecarrait mon projet de réduire mes activités.

LA CUVÉE 1995 EN LITTÉRATURE

Dans l'intervalle était paru *Frontières ou Tableaux d'Amérique*, sixième roman de Noël Audet, une œuvre à la fois différente et plus exigeante que les autres. Ses *Frontières* nous invitaient à explorer l'autre versant de cette fameuse montagne qu'on appelle le « rêve américain ». Dans ce livre, Audet a opéré une transition remarquée dans son écriture. Entre les différents tableaux qui nous entraînent du Grand Nord québécois au Brésil, l'auteur glisse des plages de réflexions très riches. Une œuvre plus difficile qui a sans doute étonné et peut-être dérouté les nombreux lecteurs de *L'Ombre de l'épervier*.

Notre programme de l'année incluait aussi *Azalaïs ou la vie courtoise*, de Maryse Rouy. Un premier roman fort bien réussi qui est devenu le livre des vacances de l'été 1995. Née en France, l'auteure vit au Québec depuis plusieurs années, y poursuivant une double carrière d'enseignante et d'écrivaine. Son intérêt pour le Moyen Âge l'avait conduite à faire une maîtrise en sciences médiévales, ce qui explique le choix du sujet et de l'époque. J'ai particulièrement apprécié la qualité de son écriture. Maryse Rouy a une grande facilité pour décrire et reconstituer l'atmosphère médiévale entourant des personnages à la fois fictifs et historiques.

Elle m'avait présenté son manuscrit en mai... et le livre se retrouva en librairie dès juillet. Tout ne va pas toujours aussi vite. Mais un aussi bon livre devait sortir à temps pour profiter des festivités entourant les Médiévales qui se tenaient dans la ville de Québec. À ce moment-là, je n'avais pas d'éditeur, il me fallait juger vite. C'est durant cette même période qu'un manuscrit ayant pour titre *Le Roman de Julie Papineau* me fut soumis.

MICHELINE LACHANCE
VEUT PLUS QU'UN CONTRAT

C'est au Salon du livre de Québec que je rencontrai par hasard Micheline Lachance. Je l'ai invitée à prendre un verre. Elle me raconta qu'elle venait de terminer un premier tome relatant la vie de Julie Papineau. Micheline était déjà une auteure et une journaliste bien connue. Elle me confia que trois éditeurs avaient exprimé un vif intérêt pour son manuscrit, mais qu'ils ne l'avaient pas lu... Ce comportement la déconcertait. Elle désirait avoir un avis, l'opinion d'un éditeur. Ce qui était tout à fait naturel. Les auteurs ont toujours très hâte de recevoir des commentaires au sujet d'un manuscrit sur lequel ils ont peiné pendant des années parfois. Ne voulant pas faire de maraudage, je lui ai proposé tout simplement, par amitié, de le lire. Si elle m'en faisait parvenir une copie, je lui promettais de lui faire mes commentaires dans les meilleurs délais. J'ai senti que cette proposition lui plaisait, mais je me suis efforcé de ne pas trop laisser paraître mon intérêt. Son sujet me paraissait original et prometteur.

Le Roman de Julie Papineau arriva quelques jours plus tard, un vendredi après-midi, à mon bureau. Pendant tout le week-end, j'ai passé des heures fort agréables à le lire. Dans un style à la fois élégant et efficace, Micheline nous entraîne dans un récit qui nous dévoile la détermination et le caractère d'une femme pourtant délicate et fragile. L'histoire est menée habilement, nous faisant revivre remarquablement la vie de cette époque : bals chez le gouverneur, promenades à cheval et déjeuners chez monseigneur Lartigue, rencontres avec le docteur Robert Nelson, Jacques Viger, le maire de Montréal et sa femme Marguerite. Julie Papineau est un personnage au destin peu commun. On la retrouve même dans la mêlée qui aboutira à la rébellion de 1837. Elle restera follement amoureuse de son mari, le fameux Louis-Joseph Papineau, tout en demeurant lucide devant le rôle ambigu qu'il a joué lors de la bataille de Saint-Denis. Ce premier tome se terminait par l'exil de Louis-Joseph aux États-Unis. Elle irait l'y rejoindre, mais resterait troublée par l'idée que le chef des patriotes ait pu abandonner les siens.

Pour bien rendre l'aspect historique, Micheline a scruté les documents de l'époque, en particulier la correspondance de Julie avec son mari et ses enfants. Elle voulait écrire un roman qui ait aussi le mérite de respecter rigoureusement l'Histoire. Pour moi, il s'agit du meilleur roman dans le genre. L'émotion porte l'intrigue, soutient efficacement le récit. Trois jours plus tard, un lundi, je lui exprimai donc mon enchantement et lui dis que la voie qu'elle avait empruntée pour raconter la vie de Julie Papineau était la bonne. Je lui dis aussi qu'elle n'aurait aucune difficulté à se trouver un éditeur avec un manuscrit d'une telle qualité... Elle ouvrit alors toute grande la porte que j'entrouvrais : « Et vous, à Québec Amérique, seriez-vous intéressés à le publier ? » C'est ainsi que le manuscrit se retrouva dans notre programme de parution à la rentrée de 1995. Un des trois éditeurs qui convoitaient le manuscrit me dit plus tard : « Jacques, lorsque je t'ai vu avec Micheline Lachance au Salon du livre de Québec, j'ai su qu'elle signerait avec toi. »

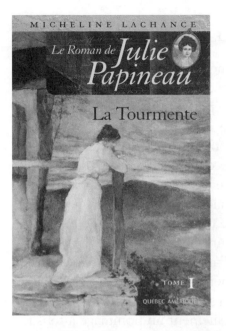

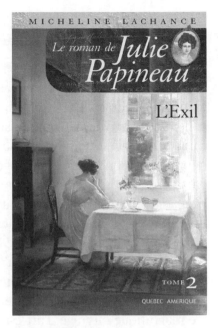

Micheline Lachance

FRÉDÉRIC BACK
ET *LE FLEUVE AUX GRANDES EAUX*

Cette même année, nous fûmes très honorés de publier une œuvre de Frédéric Back, cinéaste d'animation connu mondialement. Né à Strasbourg en 1924, il était venu s'installer à Montréal en 1948. L'arrivée de la télévision en 1952 l'amena à orienter sa carrière vers le cinéma d'animation. Il a reçu de nombreux honneurs, tant son œuvre témoigne d'un humanisme profond, en particulier dans la défense de l'environnement. *Le Fleuve aux grandes eaux* est un album qu'il a magistralement illustré à partir de textes du biologiste Claude Villeneuve. Destiné au grand public, ce livre trace un portrait du fleuve Saint-Laurent, depuis sa naissance à l'époque des glaciations jusqu'à l'arrivée de l'homme sur ses rives et ce qui en a découlé : la commercialisation, l'industrialisation, sans oublier le développement et la survie de la faune et de la flore. Ce magnifique ouvrage d'art est également un hommage à tous les grands fleuves du monde. Quel plaisir j'ai eu à publier Frédéric Back ! Toute l'équipe engagée dans la réalisation du livre garde le précieux souvenir d'un grand artiste, toujours affable, reconnaissant et d'une grande simplicité. Malheureusement, les ventes du livre n'ont pas été à la hauteur de l'immense richesse qu'il recèle. Le monde des livres est plein de ces histoires d'amour qui tournent court. Il faut tellement de circonstances favorables pour assurer la bonne réception d'un ouvrage. J'en donnerai encore un exemple où le facteur humain est, comme toujours, incontournable.

LES MALHEURS DE *CYRUS*

Nous avions lancé, en septembre 1995, une encyclopédie en couleurs dont la formule était inédite. Avec son format pratique et son prix abordable (chaque numéro coûtant moins de 10 $), *Cyrus* voulait rejoindre un public de jeunes curieux en répondant sous la forme d'histoires courtes à des questions formulées par des enfants. L'idée de cette série encyclopédique originale était née d'une collaboration avec la Société Radio-Canada et plus particulièrement avec l'émission « 275-Allô ». La production des 12 tomes s'était terminée en août 1996. Caroline l'avait supervisée et réalisé la mise en pages tandis que Martine Podesto avait vérifié le contenu scientifique des histoires écrites par Christiane Duchesne et Carmen Marois. Devant l'intérêt et les possibilités commerciales que présentait le projet, je n'ai pas hésité à enrôler toute l'équipe de la division jeunesse et à mettre à sa disposition un important budget. Une spécialiste des communications, Jocelyne Morissette, s'est jointe à l'équipe pour préparer la mise en marché. *Cyrus* a ainsi été bien lancé et bien accueilli, particulièrement dans le milieu scolaire. Plus de 60 écoles ont bénéficié d'animations organisées et planifiées par nous. Des milliers de documents publicitaires et d'articles promotionnels ont été expédiés dans toutes les écoles du Canada. Rien n'a été négligé : publicité, promotion, animation, diffusion (affiches, présentoirs, signets, guide thématique, etc.), pour soutenir une initiative en laquelle nous avons cru très fort dès le début. *Cyrus* a donc bénéficié d'une visibilité exceptionnelle partout, en librairie et en bibliothèque comme dans les écoles.

Sur les plans éditorial et commercial, le lancement fut une réussite complète. Dans son édition originale, notre produit se retrouvait même dans tous les catalogues de ventes postales. Nous avions développé un réseau de distribution efficace nous autorisant à commander des tirages importants pour ainsi maintenir un prix de vente assez bas et rendre le produit accessible. Nous avions même conclu un important accord avec un distributeur en Europe pour la vente dans les pays francophones.

Bref, les chiffres de vente, l'accueil enthousiaste des critiques, tout confirmait le succès de *Cyrus*. En moins de trois ans, l'encyclopédie s'est ainsi vendue à plus de 230 000 exemplaires. Les auteurs touchèrent des revenus en droits qui ont dépassé les 180 000 $. Tout allait pour le mieux dans le meilleur des mondes et nous n'avions aucune raison de croire qu'un petit grain de sable allait faire s'enrayer un engrenage si bien huilé.

Pourtant, c'est bien ce qui est arrivé le jour où, Dieu sait pourquoi, Carmen Marois courut le risque de copier certains documents.

Découvrant le subterfuge, Martine Podesto en informa Christiane Duchesne, co-auteure et directrice de la série. Christiane demanda donc à sa collègue de réécrire les quelques passages mis en cause. La situation aurait pu se régler sur-le-champ, mais la virulence de la réaction de Carmen Marois mit le feu aux poudres, déclenchant un conflit qu'aujourd'hui encore je n'arrive pas à m'expliquer. Ce fut une dispute, entre les deux auteures, dont Québec Amérique, victime innocente, a dû absorber une bonne partie des frais.

Carmen Marois alla confier sa frustration à Daniel Payette, un avocat en propriété intellectuelle dont j'ai déjà parlé. Sur ses conseils, elle contesta d'abord les rapports de droits, au détriment d'ailleurs et sans l'accord de sa collègue co-auteure, sans informer non plus Radio-Canada. Puis son avocat nous informa qu'il considérait comme des cessions de droits l'accord de distribution de notre propre édition que nous avions conclu avec des sociétés qui se spécialisaient dans les ventes postales. En plus, il réclamait des sommes additionnelles en interprétant curieusement certaines clauses de nos contrats. Pour être bien sûr de la conformité desdits contrats, j'ai donc consulté quatre avocats spécialisés en droits d'auteur. Tous m'ont assuré que nos rapports de droits étaient fidèles à l'esprit et à la lettre des ententes conclues avec les auteurs. La co-auteure Christiane Duchesne et l'avocat de Radio-Canada ont même fini par envoyer une lettre sévère à Maître Payette pour lui signifier leur désaccord. Ils déploraient surtout sa démarche aussi inutile qu'injustifiée. Ce même Payette tenta, par la suite, de nous entraîner dans d'autres manœuvres judiciaires. À la fin, voyant qu'il ne pourrait gagner une cause aussi insensée, il abandonna.

Mais il était trop tard. Ces événements malheureux nous avaient placés dans une situation où il était devenu impossible de poursuivre le plan de développement prévu pour *Cyrus*. Nous avons donc dû abandonner la vente et la diffusion de la série en Europe. Et quand il a fallu retirer la série des catalogues spécialisés, il est devenu impossible de la réimprimer sans augmenter sensiblement le prix de vente. Le conflit provoqué par Carmen Marois, sur les bons conseils de son avocat, avait duré trop longtemps. À regret, nous avons dû informer nos partenaires de la situation.

Tout abandonner était d'autant plus pénible que nous étions sur le point de conclure un important contrat avec le producteur d'une série télévisée. Nous étions en négociations également avec plusieurs éditeurs étrangers qui ont décidé de se retirer quand ils ont appris qu'il y avait un différend. Par ses agissements, avec l'aide équivoque de son avocat, Carmen Marois mit ainsi fin à la carrière de *Cyrus*, entraînant d'importantes pertes financières pour tous. Je cherche toujours à comprendre son attitude, car c'était bien la première fois, en 25 ans d'édition, que j'étais confronté à une telle situation où un auteur anéantit un projet qui avait un si bel avenir. Personne à mon bureau n'a d'ailleurs compris ce comportement étrange et tous ont estimé que l'auteure avait été très mal conseillée. Quel gâchis, après tant de travail !

BILAN DE 1995

Quoi qu'il en soit, la production littéraire de 1995 fut abondante, malgré les changements intervenus à la direction des éditions. En tout, 30 romans, autant au catalogue jeunesse que pour adultes, se sont ajoutés aux 10 essais de notre collection « Dossiers et Documents ». J'ai d'ailleurs profité de la réception de la rentrée pour contrer une manœuvre qui consistait à faire courir la rumeur, depuis plusieurs années, selon laquelle Québec Amérique délaisserait la littérature au profit des dictionnaires. J'avais appris que cette fausse perception était véhiculée principalement par Pascal Assathiany, directeur des Éditions Boréal et de Dimédia, une entreprise de distribution associée à l'éditeur français Le Seuil. D'ailleurs, chaque fois que je rencontrais mon ami Pascal, il m'invitait bien gentiment à lui céder la littérature. La nomination de Pierre Cayouette fut ma première réponse, mais j'ai dû par la suite réaffirmer à maintes reprises la priorité de la littérature. J'ai donc renforcé et consolidé l'équipe éditoriale au cours des dernières années. Avec l'embauche de Jacques Allard puis de Normand de Bellefeuille, le milieu a vite compris que la littérature était toujours à l'honneur chez nous. Et les rumeurs se sont estompées.

Québec Amérique possède aujourd'hui la meilleure équipe littéraire !

1996 : L'ARRIVÉE DU *SECOND VIOLON*

L'année a commencé en beauté avec un nouveau roman d'Yves Beauchemin, *Le Second Violon*. Comme chaque fois, ce fut l'événement littéraire de l'année. Le livre avait été annoncé pour la rentrée, mais sa sortie avait été retardée par l'opération délicate qu'avait dû subir Yves au cours de l'été. Une tumeur bénigne s'attaquait à un nerf auditif, provoquant dans une oreille ce constant bruit de fond qu'on appelle un acouphène. Le malaise ne lui laissait aucun répit. Il avait donc décidé de passer au bistouri, une chirurgie compliquée qui demandait 11 heures sous anesthésie. Ce furent des moments pénibles pour mon ami Yves. En conséquence, il remettait toujours à plus tard le dépôt de son manuscrit. Mais nous connaissions la chanson : opération ou pas, quand Yves nous promet son manuscrit pour telle date, il faut compter encore plusieurs semaines et c'est toujours avec beaucoup de difficulté qu'on réussit à lui arracher littéralement le « bon à imprimer ». Et alors toute l'équipe, à l'éditorial comme aux relations de presse, se mobilise pour quelques mois. La remise de son texte provoque toujours une fébrilité qui fait bientôt place à l'enchantement de la lecture.

Le Second Violon est un roman qui confirme une fois de plus son immense talent de conteur. Il sait y maintenir le lecteur en haleine, en inventant comme il sait si bien le faire des situations à la fois quotidiennes et magiques. Beauchemin a su, dans ce roman, créer de ces personnages imprévus qui fascinent même s'ils ne jouent qu'un rôle anecdotique. C'est peut-être là, en bonne partie, le secret de son art romanesque. J'ai adoré *Le Second Violon*. Ce roman de la cinquantaine comporte des trouvailles dans la description des personnages, mais aussi dans la structure même du récit, ce qui révèle une grande maîtrise. Ce que j'ai toujours apprécié chez Beauchemin, c'est qu'il donne dans chacune de ses histoires

roman

Yves Beauchemin
Le Second
Violon

Littérature d'Amérique

QUÉBEC/AMÉRIQUE

une place égale à l'humour et à l'émotion. Bernard de Fallois, l'éditeur parisien qui le publia en France, avait bien raison de me dire : « Signe infaillible, j'ai passé [...] trois jours entiers sans le quitter, n'ayant pas l'impression de le lire mais de le vivre, et dans un enchantement constant. »

Le livre connut un succès retentissant au Québec, mais en France, malgré les efforts et l'enthousiasme de l'éditeur de Fallois, les ventes furent somme toute modestes en comparaison de l'accueil qu'on avait réservé au *Matou* et à *Juliette Pomerleau*. La situation économique du marché du livre est sans doute venue, à ce moment-là, compliquer les choses. De plus, il y avait dans le roman un passage qui décrivait une scène assez osée (que j'avais d'ailleurs demandé à Yves d'alléger) et cela semble avoir offusqué beaucoup de ses lecteurs français. Un libraire a même déclaré à l'auteur qu'il n'avait aucune chance de gagner le Prix des libraires, précisément à cause de ces pages qui décrivaient les fantaisies sexuelles de la belle Moineau, celle qui faisait chavirer allégrement Nicolas, le personnage central du roman.

LE PREMIER SEMESTRE

Toujours sous la direction de Pierre Cayouette, trois autres romans parurent au premier semestre. Dans *Miss Septembre*, François Gravel réussit, une fois de plus, à créer des personnages attachants et criants de justesse. Son histoire est toute simple, mais elle en dit long sur notre époque. Le second roman de François Jobin, *La Deuxième Vie de Louis Thibert*, met en scène un auteur raté qui veut s'offrir l'immortalité que son œuvre avortée n'a pas su lui procurer. Voilà une plume élégante dans un roman innovateur, puisque Jobin ose s'aventurer dans les sphères peu fréquentées du réalisme magique. Je mentionnerai aussi un roman de Marc Fisher qui a connu plusieurs réimpressions, notamment à cause de sa popularité auprès des amateurs de golf : *Le Golfeur et le Millionnaire* est un conte sur le bonheur et les secrets du golf, qui illustre comment ce sport requiert une grande maîtrise de soi et de ses émotions. Plein de leçons, le livre démontre que le secret de la réussite, au golf comme dans la vie, réside d'abord dans la confiance en ses capacités. C'est ce même Marc Fisher qui nous avait donné, un an plus tôt, un solide thriller avec *Le Psychiatre*.

Le printemps 1996 nous apporta aussi quelques essais qui ne sont pas passés inaperçus. Un mot sur deux d'entre eux. *La Quête du sens* que signa Thierry C. Pauchant est un document à la fois original et actuel, qui démontre que la crise touchant le monde n'est pas économique mais existentielle. De son côté Miville Tremblay, journaliste économique au quotidien *La Presse*, mena une vaste enquête sur le financement de la dette publique. *Le Pays en otage* qui en fut le résultat est une excellente étude vulgarisée des grandes questions financières mondiales.

À LA RECHERCHE D'UN NOUVEL ÉDITEUR

En mars 1996, après le départ de Pierre Cayouette, je me retrouvai, encore une fois, sans éditeur. À mon retour de Floride à la fin d'avril, j'ai donc repris les dossiers de la direction éditoriale. Je me demandais bien quand je pourrais prendre un peu de recul. Cette situation me tracassait au plus haut point. Les auteurs commençaient aussi à s'inquiéter. Il fallait que je trouve un nouvel éditeur pour la rentrée. En attendant, j'ai dû me remettre au travail à plein temps. Il fallait préparer la nouvelle saison littéraire et planifier la production des ouvrages déjà retenus. Les candidats au poste d'éditeur, étant donné toutes les responsabilités qui y sont rattachées, n'étaient pas nombreux. Je passai donc tout le printemps à la recherche d'un nouveau collaborateur. Entre-temps, j'eus l'idée de publier un livre sur Céline Dion, histoire de créer l'événement encore une fois et de procurer des revenus supplémentaires pour soutenir la production littéraire.

CÉLINE DION

La plus grande star du Québec avait atteint des sommets dans le monde de la chanson populaire. Elle était maintenant connue sur les cinq continents et je considérais que l'histoire de cette grande vedette méritait d'être racontée. Nous étions en mai. J'ai téléphoné à Georges-Hébert Germain, auteur et journaliste, qui avait publié deux ouvrages chez nous. Je le connaissais bien. Auteur d'une biographie remarquable sur Christophe Colomb, il était, pensais-je, la personne tout indiquée pour écrire ce livre. Nous avons pris rendez-vous et je lui ai alors demandé s'il était intéressé par mon projet. Il fut ravi. Nous avons parlé de contrat. Il voulait, en plus des droits, un forfait pour ses frais de recherche et de déplacements. Dans les semaines qui ont suivi, nous avons continué à discuter au téléphone, pour en arriver finalement à un projet de contrat lui garantissant une importante avance sur les droits. Il m'a alors proposé une rencontre avec son épouse, Francine Chaloult, qui était l'attachée de presse de Céline pour le Québec. La rencontre fut agréable et fort sympathique. Francine et Georges-Hébert sont des personnalités très connues dans le milieu et d'agréable compagnie. L'objectif de la rencontre : préparer d'abord une stratégie pour amorcer le travail ; il fallait de préférence obtenir la collaboration de Céline et de son mari et gérant, René Angélil. Il fut convenu qu'une lettre leur serait expédiée.

Le 26 août, Georges-Hébert envoya la lettre à René Angélil, lui expliquant le projet et lui précisant pourquoi il avait choisi Québec Amérique. Il écrivait notamment ceci : «…le plus sérieux [éditeur], le seul à mon avis qui possède les contacts et les ressources techniques et financières, est Québec Amérique qui a des partenaires et des trademarks dans plus de 100 pays. Plusieurs de ses productions ont été traduites dans une vingtaine de langues et distribuées, sous différentes étiquettes, à plusieurs millions d'exemplaires. Avec ton accord, Jacques Fortin et son équipe associeraient dès maintenant à ce projet les plus grands éditeurs avec qui Québec Amérique a déjà noué des liens étroits : Simon &

Jean Beaunoyer

Céline Dion

UNE FEMME AU DESTIN EXCEPTIONNEL

QUÉBEC AMÉRIQUE

Schuster (Paramount), la plus importante maison d'édition au monde, Havas qui contrôle une dizaine des plus gros éditeurs d'Europe, Dohasha qui couvre le Japon, etc. »

Peu de temps après, Georges-Hébert rencontrait René Angélil. Ce dernier lui fit savoir qu'il était d'accord à la condition qu'il « contrôle » l'édition. Georges-Hébert communiqua ensuite avec moi le 26 septembre pour me dire que ça devenait trop compliqué pour lui et que je recevrais un appel de Nathalie Goodwin, son agente. Je me retrouvai quelques jours plus tard au restaurant avec madame Goodwin qui m'expliqua bien clairement son mandat. Elle me fit savoir que Georges-Hébert ne signerait pas avec nous. Il avait été engagé par Angélil et Céline pour écrire le livre que j'avais esquissé en mai avec lui. « Votre entente avec Georges-Hébert ne tient plus et je suis mandatée par le bureau de Céline et d'Angélil pour négocier en leurs noms. » Elle me fit alors connaître leurs exigences. René Angélil avait décidé de conserver tous les droits dérivés (traduction, adaptation, etc.) et voulait recevoir les soumissions de cinq éditeurs.

Prenant le contre-pied de toutes les pratiques du milieu du livre, il établit ainsi ses conditions : il accordait une licence d'éditer et de distribuer pour le Canada seulement, l'éditeur choisi devant verser 50 pour cent des revenus de la distribution en plus d'assumer tous les risques et les frais reliés à l'édition, à la production, à la promotion et à la distribution. Après un bref calcul, j'établis que cette demande équivalait à payer plus de 22 pour cent en droits. Ce qui laissait une marge ridicule pour l'éditeur. J'ai envoyé une contre-proposition, mais je savais qu'elle ne serait pas retenue. Tout le contexte du projet avait changé. L'auteur serait à la solde du duo Dion-Angélil. J'ai donc informé Nathalie Goodwin que les conditions exigées étaient inacceptables et que, de ce fait, je n'étais pas intéressé à travailler avec eux. Nous étions en octobre 1996 et Georges-Hébert ne retournait plus mes appels. Il ne pouvait d'ailleurs rien faire, son patron étant dorénavant René Angélil. J'ai alors demandé à Nathalie Goodwin d'informer ses clients que je ne renonçais pas pour autant au projet. Je crois qu'elle n'a pas osé leur faire part de mes intentions.

La suite sera fertile en rebondissements. En attendant, j'avais bien besoin d'être aidé à la direction éditoriale. Il me fallait enfin trouver quelqu'un.

JOCELYNE MORISSETTE
À LA DIRECTION DES ÉDITIONS

Jocelyne Morissette dirigeait les communications à notre division jeunesse depuis août 1995. Elle avait piloté le lancement de l'encyclopédie *Cyrus* avec beaucoup de succès. Elle était jeune et dynamique. Mon choix étonna parce que Jocelyne ne venait pas du milieu littéraire. Mais j'avais convenu qu'elle serait secondée par quelqu'un. C'est ainsi que Jacques Allard devint le conseiller littéraire de Québec Amérique.

C'était une bonne nouvelle pour tous que cette collaboration d'un grand spécialiste de la littérature au Québec. Détenteur d'un doctorat en littérature, Jacques Allard, en plus de faire carrière dans l'enseignement, avait publié plusieurs essais et était critique littéraire au journal *Le Devoir* depuis plusieurs années. Il dut évidemment quitter le journal. Le renouveau s'est ainsi amorcé et le programme prévu pour la rentrée 1996 promettait beaucoup. Il me restait à trouver quelqu'un pour les relations avec la presse. Dans une maison d'édition littéraire, une attachée de presse est indispensable. Voulant appuyer fortement la relance de notre production littéraire, Jocelyne recruta donc Evelyn Mailhot, une professionnelle des communications. Par sa grande expérience du métier et des médias, Evelyn joue toujours un rôle important et c'est elle, par exemple, qui, après l'éditeur, doit rassurer les auteurs toujours si inquiets de la promotion et de la réception de leurs ouvrages.

AU RENDEZ-VOUS DE LA RENTRÉE :
SYLVAIN LELIÈVRE ET STÉPHANE BOURGUIGNON

« La musique des mots » fut le thème choisi pour la rentrée d'automne, une manière de saluer *Le Troisième Orchestre*, premier roman de Sylvain Lelièvre. C'était notre façon d'accueillir chaleureusement le chansonnier, musicien et professeur. Il était un créateur déjà largement reconnu qui avait gravé une dizaine d'albums dont plusieurs titres sont toujours considérés comme des classiques de la chanson québécoise. Son ami Normand de Bellefeuille écrivait dans le magazine de la rentrée : « Lelièvre signe ici sa plus longue chanson. Un roman plein d'émotions d'anecdotes et... de musique. [...] c'est une autre voix tout à coup qui s'élève, celle de l'écrivain, ample et limpide, d'une maîtrise parfaite et engageante, une voix qui nous rappelle, presque à chaque phrase, combien il peut être difficile, malgré les apparences, surtout malgré les apparences, de faire simple et grand à la fois, de raconter sans se complaire et même de distraire... »

Stéphane Bourguignon était aussi de la fête. Son premier roman, *L'Avaleur de sable*, avait fait un véritable malheur au Québec. Les réimpressions s'étaient succédé, les critiques avaient été dithyrambiques, créant un engouement vraiment hors du commun pour un premier livre. Publié chez Laffont, en France, l'auteur fut comparé à Philippe Djian. L'effet Bourguignon n'allait pas s'estomper. Il proposa à l'automne 1996 la suite de *L'Avaleur* sous le titre : *Le Principe du geyser* à propos duquel Jocelyne Morissette qui rédigeait sa première critique comme éditrice, écrivit ceci : « Alors que l'on ne se doute de rien, que l'on est charmé par l'écriture alerte, l'humour décapant et le rythme rapide de l'auteur, voilà que jaillissent des émotions jusque-là profondément enfouies. Voilà qu'il remet tout en question et nous dépeint des personnages aussi attachants que haïssables, des situations vraisemblables mais terriblement déroutantes et qu'il fait d'une semaine de vacances un événement décisif dans la vie d'un gars pourtant bien ordinaire. »

LA LITTÉRATURE JEUNESSE

Côté jeunesse, la rentrée fut également excellente. La directrice littéraire, Anne-Marie Aubin, accueillait de nouvelles plumes : Tania Boulet, Madeleine Arsenault et Gilles Tibo. On ne peut pas faire de l'édition sans prendre de risques. Assurer la relève, découvrir de nouveaux auteurs représente souvent un défi. Ceux-ci ont besoin de plus d'attention de la part du directeur littéraire. Celui-ci doit les conseiller et surtout les encourager. Et Anne-Marie était vraiment à la hauteur.

Après avoir publié plusieurs albums comme illustrateur, Gilles Tibo nous présenta un premier roman dont le personnage Noémie émerveille depuis les jeunes. Il publiera à la rentrée 2000 le dixième titre de cette série qui connaît un succès phénoménal. Prolifique, Tibo occupe aujourd'hui une place de choix dans notre catalogue avec les Dominique Demers, François Gravel, Maryse Rouy, Michèle Marineau et plusieurs autres.

L'ENCYCLOPÉDIE VISUELLE DES ALIMENTS

Après le *Visuel*, François et son équipe de Québec Amérique International ont réalisé *L'Encyclopédie visuelle des aliments*. Pendant près de trois ans, une vingtaine de personnes, recherchistes et nutritionnistes, rédacteurs et illustrateurs, ont relevé ce défi de créer un guide complet en alimentation et nutrition. Une véritable bible. Le rédacteur en chef, Serge D'Amico, François et leurs collaborateurs ont finalement présenté en septembre 1996 un ouvrage de 700 pages d'une grande beauté. Les textes rédigés avec beaucoup de soin étaient soutenus par des illustrations impeccables. L'élaboration du contenu avait été planifiée et conçue pour différents supports : cédérom, livre et Internet.

Les coûts reliés au projet ont dépassé les 800 000 $, mais la qualité du livre a tout de suite intéressé des éditeurs étrangers. Il fut donc publié en anglais, en allemand, en japonais et en espagnol. Le livre sera suivi, un an plus tard, par un cédérom contenant

60 vidéos de techniques culinaires, plus de 600 recettes et des milliers d'hyperliens pour rendre son utilisation encore plus conviviale. En 1998, le site internet, Servicevie.com, sera créé en utilisant le contenu de cette encyclopédie. Aujourd'hui encore, dans plusieurs pays, nous continuons d'exploiter cette encyclopédie pour des applications reliées à l'Internet. Encore une fois, nous avions mené à terme un projet qui prouva rapidement sa rentabilité. Pendant tout ce temps, le *Visuel*, livre et cédérom, a continué sa carrière sur les cinq continents. Le Brésil et la Corée ont à cette époque signé une entente de diffusion et des pourparlers étaient en cours pour une édition en Chine.

POUR CLORE 1996

Le bilan de 1996 fut fort satisfaisant avec 39 nouveaux titres au catalogue. La production littéraire fut exceptionnelle. À la division jeunesse, plusieurs titres connurent des réimpressions. Québec Amérique International a conclu cette année-là plusieurs ententes à l'étranger. Finalement le projet Céline Dion était bien engagé en dépit d'une grande résistance dans la maison.

Luc Roberge s'est opposé au projet, estimant qu'il serait difficile d'obtenir des renseignements puisque René Angélil avait décidé de faire son livre. De plus, il voyait déjà les poursuites s'accumuler sur mon bureau. Jocelyne Morissette quant à elle, étant nouvelle et voyant que son président y tenait, était prête à se lancer dans l'aventure. Pouvions-nous réussir ? Je n'en étais pas sûr. Elle m'a alors promis de trouver un collaborateur crédible. En novembre, elle rencontra Réjean Tremblay, journaliste, chroniqueur à *La Presse* et scénariste très connu et respecté. C'est lui qui proposa son collègue Jean Beaunoyer, du même journal.

Jocelyne prit donc contact avec ce dernier. Il avait suivi dans les journaux les péripéties entourant l'histoire d'une biographie écrite par une jeune journaliste, Nathalie Jean. Il avait bien noté qu'Angélil avait acheté le manuscrit sous la menace et à vil prix. Ce geste aussi grossier qu'inexcusable l'avait choqué. Il a donc accepté la proposition de Jocelyne. Cependant, il fallait que l'opération demeure secrète. Pour cela, nous devions élaborer une stratégie pour obtenir des informations à l'insu de Céline Dion et de René Angélil. Ainsi fut fait, comme on le verra.

1997 : LA RÉORGANISATION LITTÉRAIRE CONTINUE

Avec Jocelyne Morissette à la direction des éditions et Jacques Allard à la littérature, le renouvellement amorcé en 1996 s'est poursuivi. Notre ambitieux programme incluait la production de 50 nouveaux livres et la révision de notre politique éditoriale. Nous voulions renforcer nos critères éditoriaux, avec l'objectif de découvrir de nouveaux auteurs. En tout étaient prévus 11 nouveaux romans pour adultes et 18 à la section jeunesse.

Dominique Demers fit son entrée dans la littérature pour grand public avec deux romans : *Maïna*, sa fresque nordique si prenante, et *Marie-Tempête*, une trilogie sur le monde de l'adolescence. Maryse Rouy donna avec *Guilhèm ou les enfances d'un chevalier* une suite à son premier roman *Azalaïs ou la vie courtoise*. Marc Fisher y allait aussi de deux romans : *Le Millionnaire* et *Le Livre de ma femme ou la confusion amoureuse*, succès populaires dont il a le secret. Il y eut aussi une belle découverte pour nous : l'écrivain brésilien Raphaël Korn-Adler dont nous avons publié ce puissant thriller qu'est *La Vie aux enchères*.

Pour sa part, Madeleine Ouellette-Michalska continua de raconter le désir dans *La Passagère* pendant que le poète Normand de Bellefeuille démontrait, avec *Nous mentons tous*, son grand talent de romancier. Plus tard, Alain Beaulieu nous entraîna dans son étonnant *Fou-Bar*. Une découverte. Côté essai, *Le Roman mauve* de notre directeur littéraire, Jacques Allard, s'avéra un recueil critique remarquable, faisant ressortir toute la richesse de notre littérature dont on a trop souvent, hélas ! tendance à diminuer l'importance dans l'enseignement et les médias. La nomination de Normand de Bellefeuille, en mai, au poste d'éditeur adjoint est venue confirmer notre détermination à renforcer notre présence en littérature. En confiant à cet écrivain reconnu la gestion des nombreux manuscrits qui arrivent quotidiennement à nos bureaux, nous permettions à Jocelyne Morissette d'accorder plus de temps à la commercialisation, aux communications et à la production.

ON DÉMÉNAGE...

Autre fait digne de mention : notre déménagement. Nous étions de plus en plus à l'étroit rue Saint-Jean-Baptiste. La division jeunesse avait d'ailleurs dû se loger à Boucherville, faute d'espace. J'ai alors pris la décision de déménager dans des locaux plus spacieux qui pourraient réunir tout le personnel, en prévoyant même une expansion future. En mai, nous voilà tous installés au 329, rue de la Commune Ouest, sur la plus vieille rue de Montréal, là où les Cartier et Maisonneuve ont débarqué. Nous avons en outre profité de ce changement pour refaire une beauté au sextant, le symbole des découvreurs qui était devenu celui de l'entreprise. Paré de nouvelles couleurs, notre logo traduit plus que jamais les ambitions de la maison, notre goût de l'aventure et de la découverte.

WWW.QUEBEC-AMERIQUE.COM

Gardant ainsi le cap sur l'innovation, nous avons, au cours de l'année, construit notre site internet. Lancé en novembre, celui-ci offrait déjà une information privilégiée et ponctuelle sur nos publications. Un catalogue complet et facile à consulter s'y trouve maintenant, en plus des renseignements sur nos livres et nos auteurs. Tous les événements reliés à nos activités éditoriales y sont affichés régulièrement. On y présente même certains extraits des ouvrages pour faciliter le choix du lecteur. Le site va évoluer au cours des prochaines années pour donner, par exemple, l'accès à nos contenus. Ainsi, profitant des nouvelles technologies, l'internaute pourra télécharger sur son ordinateur ou sur son *e-book* les romans de notre fonds ou un essai difficile à trouver en librairie. Le lecteur pourra de même lire de longs extraits avant de décider de les transférer ou pas en totalité sur son appareil en payant des droits. Il s'agira là, dans un premier temps, d'une opération de promotion, car le lecteur aura toujours le loisir d'aller chez son libraire. Nous voulons ainsi assurer la meilleure diffusion possible de nos livres. À mes yeux, l'arrivée de nouveaux réseaux de distribution électronique ne peut que consolider et favoriser la diffusion de nos contenus. Le réseau électronique sera ainsi le complément de la librairie.

Aujourd'hui, on fait des livres en utilisant l'ordinateur. Chacun est censé le savoir, mais il est étonnant de voir combien peu d'éditeurs réalisent à quel point la diffusion des contenus va aussi passer de plus en plus par cette machine. Opposer bêtement la page imprimée à l'écran fausse toute la perspective. À l'heure des *e-books* et des ordinateurs de plus en plus miniatures et performants, s'y opposer en clamant que le livre papier ne sera jamais détrôné, c'est se cantonner dans un statu quo qui ne peut être que néfaste à long terme. C'est pourquoi nous avons déjà choisi de créer nos contenus encyclopédiques en mettant en place un programme informatique qui permet le transfert facile sur les différents supports maintenant interactifs : cédéroms, livres, Internet. Pour le roman et l'essai, l'Internet représente un canal de diffusion à la fois efficace et à la portée de tous. Il me semble aller de soi que si notre rôle comme éditeur est de favoriser la diffusion, par tous les moyens possibles, des œuvres que nous publions, tous les supports sont bienvenus.

RICHESSE ET DIVERSITÉ À LA DIVISION JEUNESSE

Parmi tous ces ouvrages que j'aime diffuser, figurent toujours en bonne place ceux qui s'adressent aux jeunes. Après le départ d'Anne-Marie Aubin, qui avait grandement contribué au développement de notre catalogue, c'est Chantal Vaillancourt qui a pris la direction des éditions jeunesse. Et l'on a vu paraître cette année-là 18 nouveaux romans. Quelle saison prolifique : deux romans de Dominique Demers, quatre du productif Gilles Tibo, deux de François Gravel, un nouveau titre d'Yves Beauchemin et un autre de Maryse Rouy. Tous de grands noms déjà au catalogue ; les réimpressions de leurs titres déjà parus ont totalisé plus de 70 000 exemplaires au cours de l'année. Notre fonds de littérature jeunesse devenait de plus en plus riche et diversifié.

MON PREMIER VISUEL

De son côté, Caroline, que j'appelle affectueusement « ma super », préparait depuis plusieurs mois un projet qu'elle avait imaginé pour les petits curieux de deux ans et plus : un premier dictionnaire visuel. Pour ce faire, elle y associa étroitement son fils, le cher Grégory, alors âgé de trois ans. Sa réaction aux images et aux activités suggérées permit à ma fille de fixer le cadre pédagogique de cet album. Il s'agissait d'inciter l'enfant à partir à la découverte du monde qui l'entoure en lui faisant apprendre de nouveaux mots, trouver les réponses à des devinettes amusantes ou encore découvrir des objets cachés dans les pages. Elle donna ainsi au livre magnifiquement illustré un caractère ludique. Il était prêt en octobre 1997, à temps pour être présenté aux éditeurs étrangers, à la Foire de Francfort. Aujourd'hui, *Mon Premier Visuel* a été traduit en plusieurs langues et connaît un succès appréciable.

LES BIOGRAPHIES

1997 fut aussi l'année de quelques biographies importantes. Trois d'entre elles en particulier ont fait beaucoup parler. Je signalerai d'abord celle d'Yvon Deschamps, un grand artiste populaire et respecté, qui accepta de se confier à Claude Paquette. Ce dernier a trouvé dans la vie et l'œuvre de Deschamps le parfait exemple du parcours d'un homme intimement lié à la société québécoise.

Puis Mathias Brunet, jeune journaliste à *La Presse*, a tracé avec beaucoup de brio le portrait de Mario Tremblay, célèbre joueur de hockey et entraîneur, qui fut également journaliste sportif pendant quelques années. L'histoire de Mario Tremblay méritait d'être racontée parce qu'elle est pleine de faits étonnants ou cocasses. Sa carrière s'est déroulée à vive allure. Son ambition l'a amené à diriger le Canadien de Montréal, un défi considérable. Mathias a tiré de tout ça un livre qui se lit comme un véritable roman, où ressort le caractère spontané, fougueux et débridé du personnage. J'ai bien tenté d'amener Mario Tremblay à collaborer à sa biographie. Je lui ai même adressé une lettre à ce sujet, mais je n'ai jamais reçu de réponse. Le livre connut un bon succès malgré le silence complet du principal intéressé qui refusa même d'en commenter le contenu. On m'a dit qu'il l'avait lu en cachette et qu'il avait été agréablement étonné de l'exactitude des renseignements recueillis par Mathias. Ce fut là aussi un travail de professionnel, pas de journaliste à potins.

LA SAGA CÉLINE DION

La biographie dont on parla le plus fut évidemment celle de Céline Dion. L'histoire de la production de ce livre a été rocambolesque, mais je n'en retiens que les grandes lignes pour ce qu'elles nous apprennent sur le métier. Il fallait que tout se fasse dans le secret. Même les employés de Québec Amérique, à part deux ou trois personnes, ignoraient ce qui se tramait dans le projet qu'on avait baptisé « Casino ». J'avais demandé à Jocelyne Morissette de superviser toute l'opération : recherche, rédaction et production. Elle a ainsi collaboré étroitement avec l'auteur, Jean Beaunoyer, très excité à l'idée d'écrire ce livre sans que le duo Dion-Angélil le sache. Travailler dans le secret était certes stimulant, mais je voyais bien qu'il vivait aussi des moments angoissants. Je suivais presque quotidiennement le déroulement des travaux, prêt à résoudre toute difficulté éventuelle.

Il fut d'abord difficile de trouver des recherchistes. Plusieurs des personnes approchées craignaient des représailles ou trouvaient l'aventure trop risquée. Après avoir employé jusqu'à cinq recherchistes, nous avons mené le travail à terme avec les deux plus braves dont l'un était avocat. Il a d'ailleurs pu obtenir et consulter au palais de justice tous les documents concernant René Angélil, ses procès, ses faillites et son divorce. Et il a réuni pour l'auteur une quantité importante de documents. Quant au second, il a réussi à obtenir, en utilisant toutes les astuces possibles, des renseignements auprès des proches mêmes de Céline, de sa famille et d'Angélil. Il est même parvenu à nouer des relations assez étroites avec deux membres de la famille Dion. L'un d'eux, qui exigea l'anonymat, demanda de l'argent comptant en retour de renseignements privilégiés. L'argent versé, 1 500 $ en fait, n'a pas été vraiment utile parce que nous aurions pu trouver facilement ailleurs l'information que cette personne nous a transmise. J'ai moi-même pu renseigner l'auteur sur certains aspects de la vie de René Angélil, car nous avions des connaissances communes.

Beaunoyer s'est donc retrouvé avec plusieurs caisses de documents. Très rigoureux, il a voulu tout vérifier, tout valider. J'étais très content de son attitude. Il préparait ce livre avec l'enthousiasme et le professionnalisme d'un vrai journaliste. Nous n'avions finalement pas besoin de rencontrer Céline ou Angélil tant les méthodes utilisées pour obtenir l'information étaient productives. Or c'était en même temps une course contre la montre. Dès que j'ai obtenu une indication sur la date de la mise en vente du livre de Georges-Hébert Germain, je n'ai pas hésité à donner à mon auteur tout l'appui nécessaire pour qu'il puisse terminer rapidement sa rédaction. Au début d'octobre, il avait rassemblé une quantité impressionnante de notes, mais n'avait pas commencé à rédiger le manuscrit. Je l'appelais fréquemment, car la pression commençait à monter. Il voulait rédiger son texte final à Charlemagne, ville natale de Céline. Il y est demeuré plus de deux semaines. Là, il trouva une ambiance propice à l'écriture ainsi qu'un refuge où personne ne pouvait le déranger.

Fallait-il parler à Georges-Hébert Germain de notre projet ? Je décidai que cela valait mieux. Deux mois avant la parution prévue secrètement pour novembre, je lui ai donc annoncé que j'avais donné suite au projet commun que nous avions dû abandonner. Québec Amérique publierait un livre sur Céline Dion écrit par le journaliste Jean Beaunoyer. D'abord muet de surprise, il me dit ensuite que son livre ne sortirait probablement pas avant janvier ou février 1998. Et le livre de Beaunoyer ? J'ai été évasif à mon tour, disant que la sortie de notre livre serait sans doute retardée. Je tenais tout de même à lui apprendre la nouvelle et à lui dire que mon initiative n'était pas dirigée contre lui. J'avais décidé de faire un livre sur Céline. Après sa défection, j'avais dû trouver un autre auteur et j'avais trouvé en Beaunoyer la personne qu'il me fallait. C'était une personne d'une grande sensibilité, passionnée par son métier et très attachée à sa liberté de journaliste. Je savais qu'il ferait du bon travail.

J'avais évidemment compris que Georges-Hébert voulait faire un coup d'argent rapide et que la sortie de notre livre sur Céline risquait de nuire considérablement au sien. Et inversement. Il nous fallait donc savoir lequel des deux allait paraître en premier. Pendant plusieurs semaines, nous nous sommes livrés au jeu du chat et de la souris. Chacun tenta de savoir auprès des imprimeurs s'ils avaient reçu une demande d'impression d'un livre sur Céline. On s'informait également auprès des distributeurs et des libraires. Des rumeurs circulaient et parfois nous recevions des appels anonymes de gens qui tentaient de connaître la date du grand jour. Arriver les premiers sur le marché me parut capital quand je constatai qu'Angélil contrôlait pratiquement les médias. Notre livre m'a alors paru très vulnérable : il fallait vraiment que nous soyons les premiers à paraître.

Un jour, un libraire nous appela pour nous dire qu'il avait reçu une invitation des Éditions Libre Expression, éditeur du livre concurrent, pour assister à une présentation où Angélil serait présent. À ce moment-là, Beaunoyer n'avait pas encore écrit la moitié du manuscrit. La tension a monté d'un cran au bureau.

Mais le lendemain de la rencontre des libraires avec Angélil, nous étions fixés. Celui-ci avait annoncé la date de parution et promis aux libraires qu'il y aurait une couverture médiatique exceptionnelle. Toute la machine Céline Dion serait derrière le livre et il prédisait des ventes de 150 000 à 200 000 exemplaires (en fait le résultat des ventes se révéla par la suite très inférieur aux chiffres annoncés). Comme j'allais m'en rendre compte, Angélil s'était vraiment assuré de l'appui et de la servitude totale de plusieurs médias, incluant évidemment toutes les publications du groupe Quebecor, propriétaire des Éditions Libre Expression et du distributeur Québec Livres.

À partir de ce moment, nous avons donc mis les bouchées doubles. Connaissant maintenant la date de mise en vente du livre de Georges-Hébert (le 14 novembre), il nous restait à peine une semaine pour réussir l'opération. Jean Beaunoyer était très inquiet. Il aurait aimé avoir une semaine de plus pour vérifier certains faits, car il craignait d'être poursuivi en justice par René Angélil. Je lui ai dit de ne pas s'inquiéter. J'acceptais, le cas échéant, d'assumer en totalité les frais juridiques. Il fallait qu'il dépose son manuscrit le plus vite possible. Beaunoyer, complètement épuisé, remit enfin son texte qu'il n'avait eu le temps ni de relire ni de corriger. Pas question de demander à l'auteur exténué d'en faire la révision. Il nous restait à peine quelques jours pour tout corriger, faire la mise en pages, l'imprimer et enfin l'expédier dans 1 500 points de vente à travers tout le Québec, l'Ontario et les Maritimes. Je voulais à tout prix doubler Angélil.

Le sprint débuta le 30 octobre par une conférence de presse « planétaire » annoncée par Céline et Angélil. Ils en mirent plein la vue aux journalistes québécois qui leur donnèrent toute la couverture désirée. Profitant de cette occasion, tous deux entreprirent de critiquer le livre non encore paru en s'attaquant à Beaunoyer et à Québec Amérique, nous traitant tour à tour de « cons », de « stupides », de « frustrés » et de « cheap ». Le croira-t-on ? Aucun journaliste, à la suite de cette conférence de presse, n'a cru bon communiquer avec l'auteur ou moi-même pour avoir notre version des faits ou notre réaction. Plus grave encore : Evelyn Mailhot, notre attachée de presse, a eu bien du mal à faire inviter Beaunoyer à des émissions de radio ou de télévision. Certains, qui avaient même accepté de rencontrer notre auteur, l'ont rappelé pour annuler le rendez-vous. Ce fut le cas de Julie Snyder qui refusa de recevoir l'auteur à son émission, après avoir sollicité sa présence. Nous avons appris par la suite qu'elle avait conclu une entente avec Angélil pour faire la promotion de leur livre. Celui-ci profita à deux reprises de son émission pour tenir des propos inexacts sur l'initiative que j'avais prise au départ avec Georges-Hébert Germain. À chaque fois, Julie Snyder, qui est plus connue pour son audace que pour ses capacités intellectuelles, approuvait avec un petit rire niais les propos d'un Angélil assuré de ne pas être contredit.

Les pressions exercées par le clan Dion-Angélil ont permis de constater la servilité de nos médias. Nous avons assisté à des dérapages journalistiques à répétition. Le plus incroyable peut-être : le magazine *L'Actualité* de Jean Paré a placé en page couverture la photo même de Céline qui fut utilisée pour la couverture du livre. Et la revue ne se gênait pas pour annoncer que la biographie de son collaborateur était « la pure et simple vérité, la seule », tout en donnant à son auteur tout l'espace qu'il désirait pour parler de son propre livre. L'asservissement était également évident à l'émission du matin de la télévision de Radio-Canada. Pourquoi ? Parce que l'épouse de l'animateur travaillait comme attachée de presse chez l'éditeur de Céline... On ne parla du livre de Beaunoyer qu'une fois, pour le présenter comme un torchon, même si on ne l'avait pas lu ! L'auteur du livre d'Angélil fut d'ailleurs invité à quelques reprises de même que son éditeur, qui se transforma en reporter pour expliquer comment se déroulait la production et l'impression du livre tant attendu. L'animateur Claude Saucier, incapable de contenir son enthousiasme, déclara finalement qu'il s'agissait du plus gros tirage après la Bible ! Avant notre conférence de presse du 10 novembre, tout était ainsi biaisé. Angélil pouvait dire n'importe quoi sans que personne ose le contredire. Partout on était à ses ordres.

La semaine précédant notre lancement, des sondages des stations de radio et de *La Presse* indiquaient une nette préférence du public pour la biographie de Beaunoyer. Les déclarations de Céline et d'Angélil avaient eu un effet inattendu sur les ventes de notre livre. En nous insultant gratuitement et en critiquant un livre qu'ils n'avaient pas lu, Céline Dion et son mari nous avaient fait un cadeau inespéré. J'ai décidé alors de doubler le tirage initial pour le faire grimper à 40 000 exemplaires. Leur comportement à tous deux avait finalement provoqué un débat sur la différence entre une biographie autorisée et une non autorisée. Georges-Hébert Germain jurait sur la tête de sa mère qu'il avait écrit cette biographie sans avoir été influencé d'aucune façon par le duo Dion-Angélil qui l'avait engagé ! On a parlé d'une situation incestueuse dans son cas et les critiques devinrent assez virulentes. Signe évident qu'il y avait un problème : le livre de Georges-Hébert, malgré l'influence d'Angélil, connut un échec total à l'étranger alors que celui de Jean Beaunoyer fut vendu aux États-Unis, au Japon et en France, et fut même salué par le *Time Magazine* comme étant le meilleur livre sur Céline Dion. Quelle douce revanche pour l'auteur ! En fin de compte, l'intérêt pour l'histoire de Céline chez les éditeurs étrangers fut étonnamment mince. Au Québec, on a grandement exagéré l'aura qui entoure la vedette : c'est un mythe brillamment entretenu par son mari.

Considéré avant cela comme un excellent journaliste, Georges-Hébert Germain perdit dans cette histoire beaucoup de crédibilité. Je dois pourtant reconnaître que, même s'il a travaillé sous surveillance, il a fait un bon travail et que Libre Expression a produit un ouvrage d'une très grande qualité. Le président de cette maison, André Bastien, a bien défendu son livre, à ce qu'il m'a semblé, malgré les exigences et les pressions de René Angélil. Personnellement, je ne voyais aucun problème dans cette saine concurrence. Ce sont les attaques et les cafouillages de Céline et d'Angélil qui suscitèrent le débat. Et notre bataille était dirigée contre eux. Car nous savions que sur notre terrain, ils ne pouvaient pas gagner.

Il nous fallut donc tenir à notre tour une conférence de presse pour répondre aux attaques et annoncer la parution du livre de Beaunoyer. Cette rencontre, à laquelle assistèrent une quarantaine de journalistes, eut lieu le 10 novembre 1997. Je crois qu'elle fut déterminante pour la carrière du livre. À la surprise générale, le bouquin était là, grâce aux deux nuits blanches passées avec trois employés et à l'efficacité de l'imprimerie Gagné. Au moment de la conférence de presse, tous les points de vente prévus recevaient le livre. Notre distributeur ADP a réalisé l'exploit de livrer plus de 35 000 exemplaires en une seule journée. Pierre Lespérance, président et propriétaire de la maison de distribution, m'accorda un appui total et accepta même d'assister à la conférence de presse. L'opération fut une réussite complète. Nous avions gagné le pari de publier notre livre avant celui du clan Dion-Angélil !

À cette conférence de presse, Jean Beaunoyer parla avec beaucoup de spontanéité et de franchise, rappelant à ses collègues journalistes que leur métier ne devait pas se pratiquer sous la pression de personnes extérieures au journal : « On ne doit pas demander la permission pour écrire, un journaliste ne doit jamais être autorisé. Je suis prêt, disait-il, à vivre avec toutes les conséquences de mes écrits, mais aussi prêt à montrer mes documents et mes preuves. Le salaire du journaliste, c'est aussi sa liberté. » Jean parlait avec ses tripes et le message a très bien passé. Le lendemain, tous les médias voulaient le recevoir en entrevue. Plusieurs d'entre eux n'ont pas joué franc jeu, mais je dois dire que la Presse canadienne, la journaliste Marie Plourde du *Journal de Montréal* et la chroniqueuse Renée Claude Brazeau de CKAC ont fait preuve de beaucoup de professionnalisme en rapportant fidèlement nos propos et en couvrant avec objectivité les événements entourant la publication des deux livres sur Céline.

René Angélil, qui se trouvait à Los Angeles au moment de la sortie de notre livre, fit acheter quelques exemplaires pour ses avocats à Montréal et demanda qu'on lui envoie un par avion. J'avais bien pris soin en relisant le manuscrit de Jean d'enlever certains noms ou d'atténuer certains propos afin d'éviter toute poursuite possible. De plus, j'ai rédigé une lettre ouverte que j'adressai à Céline Dion et dont voici l'essentiel :

MADAME CÉLINE DION,

Au cours de votre récente conférence de presse, vous avez qualifié de «cons et stupides» tous ceux qui osent écrire sur vous sans votre participation ou sans votre accord. J'aimerais d'abord, par la présente, vous dire notre déception et notre étonnement face à ce jugement pour le moins lapidaire. Permettez-moi aussi de vous faire part de notre position d'éditeur.

Rappelons d'abord qu'à travers le monde toutes les biographies qui sont des références crédibles sur une personnalité, celles qui sont recommandées, reconnues pour leur objectivité et leur rigueur, **ne sont pas autorisées**. Il est vrai, certes, qu'on retrouve le pire dans les biographies autorisées comme dans les non autorisées. Si la qualité d'écriture va de soi, la crédibilité d'une biographie dépend en premier lieu de l'auteur... de son degré de liberté, de sa compétence, de son talent, de sa recherche et surtout de son objectivité. Avant d'être «con» ou «stupide», l'auteur d'une biographie libre est un chercheur, un enquêteur qui ne peut se permettre d'être complaisant sans risquer de sombrer dans la facilité ou la mièvrerie. Il n'a jamais droit à l'erreur. C'est à ce travail colossal que M. Beaunoyer s'est astreint, c'est l'avantage aussi qu'il a eu de travailler sans contraintes et sans influence extérieure. M. Georges-Hébert Germain vous a rédigé – c'est son droit – une biographie conforme à l'image que vous voulez projeter dans le monde... tant mieux ! C'est aussi tout à fait légitime. De là à affirmer qu'il ne peut pas y avoir d'autres livres écrits sur vous et que ceux qui le font sont des «cons», des «stupides», cela m'apparaît hautement exagéré, en plus d'être grossier.

Une brève visite à des librairies virtuelles m'a permis de constater que 49 ouvrages ont été consacrés à Frank Sinatra, plus de 130 à Elvis Presley, 37 à Madonna, 34 à Marlon Brando, 32 à Barbra Streisand... Les meilleurs ouvrages recommandés : des NON AUTORISÉS.

Le *New York Times* suggère fortement *STREISAND : A BIOGRAPHY* par Anne Edwards (paru en avril 1997) et *HER NAME IS BARBRA : AN INTIMATE PORTRAIT OF THE REAL BARBRA STREISAND* par Randall Riese et les présente comme «... les biographies les plus intéressantes sur Barbra... » **justement parce qu'elles ne sont pas autorisées. La plupart des critiques pensent qu'il est difficile en effet d'écrire toute la vérité lorsque c'est la personne « biographiée » qui paie pour son histoire. Cela conduit en général à embellir le trait, à produire des descriptions dithyrambiques dans un style à la fois séduisant et pompeux.**

Quant à notre auteur, Jean Beaunoyer, il a rédigé une biographie sur vous avec beaucoup d'honnêteté et de respect car, comme il le dit lui-même, «... il est possible d'aimer et d'apprécier Céline Dion en toute liberté ». Il n'a pas demandé votre permission. Il n'avait pas à le faire. Il n'a pas procédé à des entrevues avec vous. Encore là, il n'était pas obligatoire de procéder ainsi. Est-ce que l'écrivain Max Gallo, auteur d'une biographie passionnante de Napoléon, a obtenu des entrevues avec le principal intéressé ? Ni Anne Edwards, ni Randall Riese n'ont obtenu d'entretiens avec Mme Streisand. Pourtant ils ont écrit les deux meilleurs livres sur cette grande star.

Vous traitez notre auteur de « con », de « stupide » ; votre mari ajoute de « profiteur » et de « cheap » avant même d'avoir lu son ouvrage. Vous avez profité de votre conférence de presse planétaire, du 30 octobre dernier, pour discréditer Québec Amérique et son auteur avant la sortie du livre. Les lectrices et les lecteurs québécois et ceux d'autres pays pourront avec le livre de Jean Beaunoyer avoir un point de vue sans doute différent, certainement plus objectif. Rien de démesuré, rien de grossi, rien de prétentieux. N'était-ce pas souhaitable ? N'était-ce pas légitime ?

Cela dit, je voudrais saluer bien haut votre détermination, votre talent, votre immense succès mondial. Vous êtes la fierté de tout le Québec et j'espère qu'on écrira d'autres livres (de préférence non autorisés) sur vous. En attendant, recevez, Madame, l'expression de mes sentiments distingués.

Jacques Fortin
Montréal, le 10 novembre 1997

* * *

Le *Visuel* multimédia au Japon

Au début d'octobre 1997, quelques jours avant de partir pour la Foire de Francfort, nous avions signé un important contrat avec la société japonaise SSI Corporation, entreprise spécialisée dans la distribution de matériel audio et d'équipement informatique didactique. Contre toutes nos attentes, ce contrat, qui nous garantissait un demi-million de dollars américains, fut paraphé en moins de trois jours. Un haut dirigeant de la compagnie, qui ne parlait ni français ni anglais, est d'abord venu à nos bureaux accompagné d'un collaborateur qui lui servait d'interprète. Mon comité de négociation était composé de Luc Roberge, directeur général, et de Marie-Claude Germain du département des ventes de Québec Amérique International.

Le jour de leur visite fut consacré à la tournée de nos bureaux, puis à la présentation du produit : le *Visuel*, version cédérom. Après quoi ils nous quittèrent en disant qu'ils devaient rentrer à New York le jour même. Nous étions un peu étonnés. Jamais, tout au long de cette journée, ils n'avaient manifesté d'enthousiasme visible pour le produit. Ils allaient, disaient-ils, y réfléchir. Nous nous demandions si nous avions raté notre présentation quand, coup de théâtre ! quelques heures après leur départ, ils communiquaient avec Marie-Claude pour lui demander si nous pouvions préparer le contrat pour le lendemain, à 11 heures. Ils avaient reporté leur départ pour New York.

Ils repassèrent à nos bureaux à l'heure prévue pour étudier toutes les clauses du contrat. La séance de négociation dura plusieurs heures. Vers les trois heures de l'après-midi, Luc et Marie-Claude vinrent me voir à mon bureau, tout souriants, pour m'annoncer qu'ils étaient prêts pour la signature. Je me rendis donc dans la salle de conférence pour saluer nos nouveaux partenaires et signer le fameux contrat. Luc et Marie-Claude avaient conclu une entente dont le montant de 500 000 $US représentait 80 pour cent des profits, puisque SSI Corporation avait accepté de défrayer en plus les coûts reliés à l'adaptation et à la production. À cette première version en japonais, en anglais et en français, se sont ajoutés par la suite l'allemand et l'espagnol.

EN RÉSUMÉ

L'année 1997 a été marquée par des réalisations stimulantes. Nous avons publié des livres utiles, solides et souvent même percutants dans tous les domaines. Du sang neuf circulait partout. Il y avait Jacques et Normand. Plus une nouvelle gestion, une nouvelle politique littéraire, de nouveaux bureaux, une nouvelle présence sur le Web, un renouvellement du secteur jeunesse. Sans compter la fidélité de ma « vieille » équipe autour de Luc, collaborateur efficace et dévoué. Que retenir encore ? Le *Premier Visuel* de ma Caroline. Et peut-être surtout cette saga Céline Dion qui nous a pris, à Jean Beaunoyer, Jocelyne, toute l'équipe et moi tellement de temps et d'énergie. On ne s'ennuie jamais dans l'édition ! C'est un univers de création et de vibrations incroyables. Un monde d'effervescence, de vie toujours recommencée.

On l'a vu encore dans la magnifique série télévisée tirée de *L'Ombre de l'épervier*. Celle-ci a connu tant de succès que le roman de Noël a franchi le cap des 100 000 exemplaires vendus. On l'aimera longtemps, sa Pauline. Son Noum aussi, grâce au roman mais aussi aux comédiens Isabel Richer et Luc Picard. Je garde aussi un beau souvenir de *La Mystérieuse bibliothécaire* de Dominique Demers et du premier roman pour enfants de Maryse Rouy : *Une terrifiante Halloween*. Le *Multi des jeunes* a fait aussi honneur à la maison cette année-là. Son auteur Marie-Éva de Villers est imbattable dans son domaine.

1998 : Québec Amérique au cœur du monde

C'est ce que disait le titre de l'article de Jocelyne Morissette dans le magazine de la rentrée d'automne. C'était vrai pour cette année 1998, mais notre maison a toujours voulu aller « au cœur du monde » : parler, à travers le monde entier, au cœur et à l'esprit des gens. Parler du monde au monde. On l'a fait encore dès le début de cette année avec le petit roman zen de Guy Parent, *L'Enfant chinois* qui a fait son chemin, loin des médias. François Gravel a quant à lui su bien parler du monde des collèges dans *Vingt et un tableaux (et quelques craies)*. Alain Beaulieu en a fait autant pour la ville de Québec avec son deuxième roman : *Le Dernier Lit* dont la critique du magazine *Clin d'œil* a dit qu'on le lisait comme dans un rêve. J'ai aimé aussi rigoler avec André Truand et *Une Douzaine de beignes pour le sergent*. Et puis, qui n'a pas été touché par Jean-François Beauchemin qui publiait *Comme enfant, je suis cuit*. Gilles Marcotte disait dans *L'Actualité* que « la vraie vie est prise au piège de cette écriture sobre ». C'est un beau compliment.

Marc Fisher a aussi beaucoup impressionné Réginald Martel avec *Les Hommes du zoo*. Martel attribuait avec raison le changement d'écriture de Marc à notre nouveau directeur littéraire. Par ailleurs, le livre si fort de Diane Sansoucy, *Fast forward*, n'a pas décollé. Dommage. L'auteure sait y faire parler l'adolescence d'aujourd'hui. *La Quête de Melville* de Marie Gagnier a aussi été plutôt négligée. C'est une histoire poignante racontée de façon poétique.

L'année 1998 fut aussi celle de la rentrée de Bertrand Vac, un auteur québécois classique qui nous proposa *À mon seul désir*. Sa grande fresque bourgeoise du début du XXe siècle dans le «Golden Square Mile» de Montréal ferait un beau film. Je n'oublie pas non plus les grands romans qu'ont été *La Terre promise, Remember* de Noël Audet et le second tome du *Roman de Julie Papineau*.

La Terre promise, Remember est vraiment une œuvre ambitieuse autant sur le plan de l'histoire que sur celui de la forme utilisée. Raconter l'histoire du Québec depuis l'arrivée de Jacques Cartier jusqu'à celle de Lucien Bouchard et le faire par la bouche d'un cochon qui parle comme un poète, c'était tout un défi. Et comme, en plus, Noël a fait un grand tableau plutôt qu'une histoire à épisodes dramatiques, son livre a reçu un accueil plus réservé que *L'Ombre de l'épervier*. Mais il a fait un grand livre qui va rester, auquel on va revenir. Il y a des ouvrages comme celui-là, moins accessibles au lecteur mais néanmoins pleins de richesses.

JULIE PAPINEAU, TOME 2

Micheline Lachance a eu plus de chance avec sa Julie, peut-être justement parce qu'elle a choisi de raconter une histoire à la fois dramatique et passionnante. Je me souviens que la sortie du tome 1 en 1995 avait été saluée avec beaucoup d'enthousiasme par la critique. Le roman était resté en bonne place sur la liste des best-sellers durant de nombreuses semaines et plus de 60 000 exemplaires ont été vendus. Paru le 5 mai, le tome 2 du *Roman de Julie Papineau, L'Exil*, s'attira tout de suite les critiques les plus élogieuses. André Noël du journal *La Presse* avait bien raison de dire : «Son roman est appelé à devenir un classique du roman historique québécois.»

Micheline a signé, avec ce grand roman, une œuvre historique crédible. De très belles pages, riches en faits et en émotions. Un roman écrit avec un souci du détail de la vie quotidienne au

XIXᵉ siècle, aux États-Unis et en France. Julie finira par rentrer au pays pour s'établir à Montebello dans un somptueux manoir construit par son Louis-Joseph. *Le Roman de Julie Papineau* a finalement obtenu le Grand Prix du public au Salon du livre de Montréal en novembre 1998 et le Grand Prix du livre de la Montérégie. Aujourd'hui, les ventes dépassent les 120 000 exemplaires, rejoignant les ventes de l'édition originale des *Filles de Caleb*.

LE 5 FÉVRIER 1998 : DE NOUVEAU GRAND-PÈRE

Le 5 février nous est arrivé Thomas, le petit frère de Grégory qui allait, lui, sur ses quatre ans. Quelle joie ! Ce nouveau petit-fils n'a pas tardé à se faire aimer. Plus costaud, il se passionnera bientôt pour tout ce qui roule. Grégory, quant à lui, s'intéresse grandement aux histoires de chevaliers braves et téméraires. Ce nouveau petit-fils m'a plongé à nouveau dans la réflexion. Je rêvais de passer plus de temps avec eux, comme je me le promettais depuis plusieurs années avec Grégory... Mais je devais et dois encore assumer beaucoup de responsabilités au moment où l'aventure Québec Amérique connaît une phase exigeante de développement. Je pense toujours, au moment où j'écris ces lignes, à confier plus de responsabilités à l'équipe en place.

Qu'est-il arrivé ? Trop de réussite ? En connaît-on jamais assez ? Il est vrai aussi que l'on est toujours un peu mené par sa propre entreprise. Depuis un bon moment, mon directeur général, Luc Roberge, ne peut plus assumer seul toutes ses tâches, tant elles se sont multipliées. Il nous faut de l'aide ! Oui, mais la recherche et l'embauche de collaborateurs compétents prennent beaucoup de temps. Mon fils François, qui dirige déjà cette année-là à Québec Amérique International une quarantaine d'employés, devra doubler son personnel en 1999. Tout cela doit se préparer. Ses projets et ceux de Caroline présentent dès 1998 un potentiel considérable pour le marché international. C'est que mes deux enfants sont arrivés au moment où l'expérience compte : ils ont maintenant en tête plusieurs idées de nouveaux produits. Tout le développement de l'entreprise, dans les prochaines années, va reposer sur leurs initiatives éditoriales. J'en suis ravi et je me promets de les aider par mes conseils. C'est maintenant devenu ma principale préoccupation. Il nous faut consolider la structure de l'entreprise pour que j'arrive à profiter bien égoïstement de mes deux petits-fils. Parfois, je me demande : suis-je un éditeur ou suis-je devenu un papy complètement gaga ? Victor Hugo avait bien raison, c'est tout un art que d'être grand-père !

UNE NOUVELLE ÉDITION POUR LE *MULTIDICTIONNAIRE*

Parmi les faits marquants de 1998, je note également que la troisième édition du *Multi* s'est enrichie de plus de 200 pages. C'est devenu un dictionnaire complet, caractérisé par une approche globale de l'usage plutôt que par la seule description des mots. Ouvrage exhaustif de référence de la langue française, il a été entièrement remanié et comporte maintenant près de 1 600 pages. Sur le marché depuis dix ans, le dictionnaire de Marie-Éva de Villers a connu une augmentation des ventes à chaque année, s'imposant de plus en plus comme une référence incontournable. Ce succès a permis de maintenir son prix sous les 50 $. La version pour les jeunes du niveau primaire gagne elle aussi en popularité.

TANT DE FAÇONS

Nous avons également lancé une impressionnante série encyclopédique consacrée à la vie des animaux : *Tant de façons*. Étonnant ! Comment ces derniers font-ils pour se défendre, se nourrir, se reproduire et se déplacer ? Comment parviennent-ils à communiquer, vivre en société, s'abriter ou survivre dans des conditions difficiles ? Près de 400 animaux ont ainsi été présentés en situation de vie et de survie. Des textes intelligents et des illustrations exceptionnelles ont donné à cette production un caractère unique. Le projet a été pensé par Martine Podesto qui en a assuré la recherche et la rédaction. Pendant que Caroline assurait le suivi éditorial, François s'est servi de ce projet pour initier son équipe d'illustrateurs à de nouvelles techniques. Aussi, les résultats furent tout à fait spectaculaires. Ils ont obtenu des images d'une netteté sans égale et créé un contenu fort original qui ont suscité un vif intérêt chez les éditeurs étrangers. Financièrement, les coûts dépassèrent, encore et de loin! le budget initial. Il fallait cependant faire cette expérience dans le cadre de notre programme de formation. C'est ainsi qu'on doit investir et parfois courir des risques pour améliorer nos méthodes de travail. Après que François et Caroline m'eurent donné l'assurance qu'un jour ce projet, très exigeant sur le plan financier, trouverait la rentabilité dans son exploitation sur le Web et dans des dérivés, je n'avais plus qu'à leur faire confiance et les laisser foncer.

UN DERNIER COUP D'ŒIL

Un dernier coup d'œil sur 1998, pour signaler l'arrivée de nouveaux collaborateurs. C'est important quand je songe au soulagement apporté par la nouvelle équipe littéraire. Il en a été de même lorsque notre division internationale a accueilli Gaétan Forcillo comme assistant de François et vice-président aux opérations. Ou quand Luc Roberge a nommé Yves Bonnier directeur administratif. Yves était appelé à jouer un rôle déterminant dans la mise au point d'outils de gestion, tout en supervisant un groupe de cinq personnes à la comptabilité. Devant notre expansion accélérée, devant le nombre sans cesse croissant d'employés à encadrer et de programmes à gérer, le rôle de cette équipe de soutien à la direction générale devenait capital.

Ce fut donc une autre année de consolidation et de renouvellement. Du côté des livres, je m'en voudrais d'oublier l'essai de Claude Béland, *Inquiétude et Espoir*, dans lequel le président sortant du Mouvement Desjardins décrit sa vision d'un pouvoir humaniste. J'ai aussi à l'esprit l'ouvrage de Mathias Brunet consacré au Club de hockey Canadien : *Avions, hôtels et glorieux*. Et encore ces beaux livres des fidèles François Gravel, Michèle Marineau, Gilles Tibo, Anique Poitras et bien d'autres que liront, sans doute, Grégory et Thomas.

1999 : AVEC DOMINIQUE DEMERS ET MARYSE ROUY

L'année 1999 a débuté par la parution de deux romans dont chacune des auteures a déjà plusieurs dizaines de milliers de lecteurs acquis. Le deuxième roman pour adultes de Dominique Demers, *Le Pari*, était assuré de connaître le succès. C'est un livre magnifique où l'on retrouve l'émotion authentique de *Marie-Tempête* et la richesse narrative de *Maïna*. Un roman audacieux, à mon avis, qui démontre une grande maîtrise. Dominique possède une écriture sobre, un style efficace et un imaginaire incroyable. Elle a publié plus de 20 titres en littérature jeunesse, tous des succès. Elle est entrée dans la littérature pour adultes avec deux grands best-sellers. *Le Pari* met en scène une femme de 40 ans qui, insatisfaite de sa vie de médecin et d'épouse, replonge dans un passé un peu trouble, retrouvant un père pour le moins étonnant. Beaucoup de vérité et d'émotions dans un ouvrage vendu à plusieurs dizaines de milliers d'exemplaires.

Quant à Maryse Rouy, elle m'a toujours séduit par sa façon de raconter et de faire vivre ses personnages, la précision de sa langue et la rigueur de son récit. J'ai adoré ses deux premiers romans, *Azalaïs* et *Guilhèm*. En 1999, elle nous est revenue avec un véritable thriller, toujours dans l'univers médiéval : *Les Bourgeois de Minerve*. Un inquisiteur de l'Église catholique mène une enquête sur la mort d'un dominicain qu'on a retrouvé assassiné au pied de la citadelle de La Minerve, petite ville du Sud de la France. *Les Bourgeois* sont déjà un best-seller en France puisque France Loisirs en a écoulé plus de 50 000 exemplaires. Or si Maryse a transformé sa première version en thriller, c'est que notre directeur littéraire a su la convaincre que son récit y gagnerait en force et en qualité. Il avait raison.

Dominique Demers

Maryse Rouy

TROIS ESSAIS REMARQUABLES

J'aimerais dire quelques mots de trois essais parus un peu plus tard dans l'année. Deux d'entre eux font partie de la collection « Débats » : *L'Ingratitude. Conversation sur notre temps* du philosophe français Alain Finkielkraut (avec le Québécois Antoine Robitaille). Et *Le Québec dans l'espace américain* de Louis Balthazar et Alfred O. Hero Jr. Ce sont deux livres qui illustrent bien les objectifs de la riche collection que dirige Alain-G. Gagnon, professeur à l'Université McGill : parler des sujets brûlants de notre monde d'une façon sérieuse mais accessible. Il me semble que « Débats » y réussit parfaitement. Quant au troisième essai, il a été publié dans une autre collection sérieuse mais elle aussi soucieuse de vulgarisation : « Québec Amérique Presses HEC » dont Marie-Éva de Villers a la responsabilité. Il s'agit de *L'Âme de l'organisation* de Jean-Jacques Bourque et François Lelord, deux psychiatres consultants en entreprise.

Ce que j'ai aimé en particulier dans l'entrevue donnée par Finkielkraut à Robitaille, c'est tout ce qu'il dit sur les petites nations dont le Québec fait partie. J'ai aussi bien apprécié ce qui concerne la question de la transmission, de ce qu'on lègue aux générations qui suivent. Ou que l'on ne transmet plus dans notre société devenue ingrate ! C'est un livre qui en quelques pages nous fait comprendre le monde d'aujourd'hui. On devrait l'offrir à tous les enseignants et tous les dirigeants d'entreprise.

Quant au *Québec dans l'espace américain*, c'était un livre fait pour Québec Amérique ! Ce quatrième titre édité par Alain-G. Gagnon fait très bien le tour de la question. Il traite de notre dépendance envers les États-Unis, mais aussi de notre américanité profonde. Surtout il nous indique clairement quels sont les défis qui nous attendent en tant qu'Américains du Québec. Les auteurs connaissent bien le sujet : Louis Balthazar a fait des États-Unis sa spécialité et Alfred O. Hero Jr est un Américain grand spécialiste des questions québécois. Pour mieux réfléchir à la question de notre américanité, on pourra aussi lire *Penser la nation québécoise*, qui vient de paraître dans la même collection, sous la direction de Michel Venne, éditorialiste au *Devoir*.

Le troisième essai qui m'a beaucoup plu s'intitule *L'Âme de l'organisation*. Ce livre a été écrit par une dizaine de psychiatres et autres spécialistes qui ont trouvé le moyen de parler clairement et directement de la personnalité des dirigeants, de leur stress, de leurs habiletés dans le « coaching » et de tous les aspects psychologiques de leur travail. Il y a là des pages et des pages de sagesse pour aider à la gestion des petites et grandes entreprises. Quand je lis autant d'essais importants, je me souviens avec plaisir que c'est avec et grâce à de tels livres que notre maison a grandi.

FIN DE LA SAGA ARLETTE COUSTURE

La poursuite, déposée en avril 1993 contre nous par Arlette Cousture, fut enfin, après six ans, entendue devant les tribunaux, au début de juillet 1999. Il faut dire que pendant toute cette période d'attente, plusieurs procédures judiciaires avaient été entreprises : interrogatoires, médiations et autres actions qui n'ont pas eu de suites. J'ai bien tenté d'en arriver à un règlement pour éviter un procès inutile. Sans succès. Arlette demeurait intransigeante. La cause devait donc être entendue tel que prévu.

Les mois qui ont précédé les audiences en cour ont été en bonne partie consacrés à préparer notre défense. Et les mêmes questions me revenaient toujours à l'esprit devant une cause aussi absurde et insensée. Après huit jours d'un procès qu'on prévoyait devoir durer plus d'un mois, Arlette accepta un règlement hors cour. Nous avons convenu de garder confidentielles les conditions de cette entente qui mit un terme à toute cette affaire. Une expérience qui a sans doute fait réfléchir Arlette, car elle confirmait l'adage qui dit : « Un mauvais arrangement vaut mieux qu'un bon procès. »

Au cours des huit jours passés en cour, j'ai eu l'occasion de parler à quelques reprises avec elle. Nos conversations se déroulaient toujours sur un ton cordial et sans animosité apparente. Lors d'une pause, elle me fit cette remarque : « Jacques, on se fait mal. » Les séances du tribunal où, après elle et moi, défilaient des témoins experts, ne se déroulaient sans doute pas comme elle l'espérait. En tout cas, l'entente hors cour survint avant même que Québec Amérique ait pu présenter sa défense. Bref, ce fut un soulagement pour tous. Je nous revois encore à la fin : les physionomies étaient beaucoup plus rayonnantes lorsque les parties se présentèrent devant le juge pour annoncer qu'elles étaient parvenues à s'entendre. J'ai alors pris l'initiative d'inviter Arlette et son mari à prendre un café. Mon entourage m'a trouvé un peu débonnaire d'agir ainsi. Mais j'y tenais. Elle accepta spontanément l'invitation.

Arlette est une artiste fière et passionnée, une auteure talentueuse. À mon avis, son caractère difficile et cassant l'a parfois amenée à poser des gestes qu'elle regrette peut-être aujourd'hui. Elle est aussi capable d'une grande générosité. J'ai connu avec elle un des plus beaux succès d'édition au Québec et j'ai aussi contribué à la production d'une série télévisée qui a fracassé des records de cote d'écoute. Je ne regrette rien. J'aurais aimé plus de souplesse et de reconnaissance de sa part. De son côté, elle souhaitait probablement plus de gratitude et d'égards de ma part. Autour d'un café, on s'est rappelé de bons souvenirs. C'était ma façon de tourner la page.

DES *ÉMOIS D'UN MARCHAND DE CAFÉ* À CEUX DE L'AUTEUR ET DE SON ÉDITEUR

Du côté du roman, l'année 1999 fut pour moi celle du Beauchemin nouveau. Fidèle à lui-même, mon ami Yves nous a livré un roman d'action, toujours avec cette trame où l'humour et la tendresse conduisent à des revirements imprévus. L'auteur y confirme, encore une fois, son indéniable talent de conteur, avec cette maîtrise impeccable, ce style pétillant, unique. Le rapport de lecture du directeur littéraire, Jacques Allard, résumait le point de vue du comité de lecture : « Avec *Les Émois d'un marchand de café*, on retrouve du grand Beauchemin : une histoire savoureuse et humaniste, avec des personnages toujours originaux mais proches,

Jacques Fortin et Yves Beauchemin

une action soutenue, débordante de faits et gestes inattendus ou drolatiques. »

On pourrait parler aussi des émois d'un éditeur et d'un auteur. C'est que la publication de l'ouvrage fut quelque peu laborieuse. Avec ce livre, Yves s'est réellement surpassé. D'abord, il a hésité pendant plusieurs mois avant de nous remettre le manuscrit qui devait être prêt pour décembre 1998. Il nous arriva donc en avril 1999. Trop tard pour notre programme du printemps, car il faut compter au moins deux mois pour en arriver à la copie finale, Yves ayant toujours quelque correction à apporter, une vérification, un changement à faire ici ou là. Bernard de Fallois voulait le publier en mai et nous, en septembre, pour la rentrée. Yves refusa notre date. Il voulait que son roman paraisse d'abord au Québec ou en même temps qu'en France.

J'ai fait une lecture attentive de son manuscrit et lui ai présenté comme d'habitude mes suggestions. De son côté, Jacques Allard travailla sérieusement avec lui, y allant de plusieurs commentaires, autant au niveau de la forme qu'à celui du fond. Yves a paru par la suite très angoissé, profondément inquiet. Pendant qu'il faisait ses retouches, nous avons pendant plusieurs semaines aligné des titres qui ne lui convenaient pas ou qui déplaisaient à l'éditeur français. Il en fut de même pour l'illustration de la page couverture qui a dû changer au moins cinq fois. À la fin, l'équipe éditoriale était épuisée. Avec un Beauchemin nouveau, les attentes sont toujours énormes et l'on veut faire toujours mieux d'un livre à l'autre. Finalement, nous nous sommes mis d'accord sur le titre et Yves s'est dit satisfait de la page couverture. Ouf ! Le livre connut le succès dès son arrivée en librairie et s'est rapidement retrouvé sur la liste des best-sellers, tout en recevant des critiques généralement très favorables.

> « Aussi invitant que les précédents, plus dense sans doute, *Les Émois d'un marchand de café*, c'est un arabica noir, très bon, à peine âcre. On le boit en prenant son temps. On en reprend. »
>
> (Robert Chartrand, *Le Devoir*)

« On dit d'une écriture qu'elle est parfaitement maîtrisée quand tous les éléments qui la constituent composent un superbe équilibre. C'est complètement le cas ici : les notes de fond comme les notes de tête du talent de Beauchemin se déploient souverainement. »

(Jean Fugère, *Le Journal de Montréal*)

« C'est son meilleur livre, tant l'intrigue y est virevoltante, les personnages inoubliables [...] Un roman irrésistible, et brûlant, dont l'inoubliable odeur est comparable à celle des plus suaves torréfactions du monde. »

(*Lire*)

Beaucoup d'autres titres littéraires mériteraient ici plus qu'une mention. Je pense au *Garage Molinari* de l'autre Beauchemin, Jean-François, qui vient d'être choisi comme finaliste par les lectrices de la revue *Elle Québec*. Tout le monde est en train d'adopter la famille si originale révélée par le premier roman de Jean-François : *Comme enfant je suis cuit*. On aime son Jérôme qui ouvre les robinets dès qu'il panique. J'ai aussi été très favorablement impressionné par le premier recueil de poésie publié par notre maison : *La Marche de l'aveugle sans son chien* de Normand de Bellefeuille. Je n'aurais jamais pensé que notre éditeur en titre fût capable de m'émouvoir comme il l'a fait en parlant de la douleur. Sa *Marche de l'aveugle* fut aussi une autre première, celle de la collection « Mains libres » lancée par Jacques Allard. La diversité que devrait permettre sa formule d'écrivains invités, son format et ses autres caractéristiques originales en feront, j'en suis sûr, un lieu de création recherché et prestigieux.

Autre première : le roman de François Désalliers, *Amour et pince-monseigneur*, dont curieusement personne n'a parlé dans les médias mais qui, au moment où j'écris ces lignes, est rendu en finale du prix France-Québec. Le silence a aussi accueilli *Angela*, ce roman où Isabel Vaillancourt fait parler une enfant de quatre ans et demi. Ainsi va parfois la vie pour des livres dans lesquels on a mis tant d'espérance. Il ne suffit pas de publier d'excellents livres.

Il faudrait à chaque fois créer un événement particulier pour qu'il ne passe pas inaperçu. Le public lecteur est tellement limité au Québec ! Quant au *Fils perdu*, le troisième roman de la trilogie d'Alain Beaulieu et à celui de Réjane Bougé, *L'Année de la baleine*, ils ont eu une bonne presse et continuent leur carrière. Leurs thèmes sont importants : ils racontent l'un la vie d'un père qui n'a plus son fils, l'autre celle d'une femme qui rêve de l'enfant qu'elle n'aura pas.

CONCLUSION DE 1999

L'année s'est terminée avec *24 heures à l'urgence*, un livre-choc qui a fait les manchettes et suscité quelques débats parce qu'il a touché toute une population inquiète des soins de santé prodigués au Québec. Il faut dire que le docteur Robert Patenaude sait comment nous faire partager sa vie d'urgentologue. Il l'avait déjà fait pour sa vie de leucémique, mais il s'est surpassé dans la médecine de guerre dont il parle dans ses *24 heures*. J'ai été très touché par l'importante partie consacrée au suicide des jeunes. Le regard du docteur Patenaude sur la façon dont on gère la maladie et les salles d'urgence, ou même la mort annoncée, me trouble profondément.

La parution de nombreux ouvrages jeunesse en cette même année 1999 est venue me rappeler que la vie continue de toute manière. Dominique Demers a donc fait revenir sa fameuse mademoiselle Charlotte, découverte avec tant de ferveur et par tant de lecteurs dans *La Nouvelle Maîtresse* puis *La Mystérieuse Bibliothécaire*. Cette fois, c'était *Une bien curieuse factrice*. Ont été aussi de *Les Fausses Notes* de Tania Boulet, *Les Voyages de Victor* d'Anne-Marie Trudeau, *La Planète du petit géant* de Gilles Tibo et *Une Histoire tirée par la queue* d'Élaine Turgeon. Il y eut aussi deux autres titres de la série Gofrette, albums écrits et illustrés par Fabienne Michot et Doris Brasset. Six titres sont ainsi déjà parus où l'on voit le chat Gofrette courir partout sur les pentes de ski ou au cirque dans des images aux couleurs et au graphisme étonnants.

1999 fut donc une autre année très riche pour la maison. Même *La Gastronomie en plein air* y trouva une place. Je n'aurais jamais pensé qu'on pouvait se régaler en vivant comme les ours ! Mais l'auteure Odile Dumais a des trucs vraiment incroyables pour bien manger au fond des bois ou sur les glaces polaires ! Je note aussi avec plaisir que j'ai pu en 1999 m'absenter du bureau l'esprit plus tranquille. Normand de Bellefeuille avait pris la succession de Jocelyne comme éditeur, une succession en douceur puisque Normand était déjà son adjoint. Anne-Marie Villeneuve avait été nommée à la division jeunesse et Jacques Allard continuait son excellent travail à la direction littéraire. J'avais maintenant plus de temps pour mes petits-enfants de même que pour mes projets d'expansion !

2000 : DES PROJETS, TOUJOURS DES PROJETS

La production littéraire du premier semestre de l'an 2000 fut conforme à nos projets de renouvellement dans la continuité. De février à mai sont parus *Les Cercles au-dessus de nos têtes*, le premier roman de Martine Potvin, un nouveau François Gravel, *Filion et frères*, *L'Anniversaire* de Naïm Kattan et *La Famille Grenouille* de Jean-Guy Noël. Quatre romans qui racontent le Montréal d'hier et d'aujourd'hui. Martine Potvin le fait à partir d'un cirque qui ressemble beaucoup à l'ancien Parc Belmont. François Gravel montre une famille pauvre des années 30 qui finit par établir son commerce sur la Plaza Saint-Hubert. Naïm Kattan décrit comment on peut venir d'aussi loin que la Syrie pour faire une carrière d'historien du Canada dans la métropole québécoise. Enfin, Jean-Guy Noël présente quant à lui le voyage farfelu que font des Montréalais des années 60 à Old Orchard Beach, sur la côte Est des États-Unis.

Chez Québec Amérique International, le nouveau millénaire a démarré en trombe. François a déjà mis en chantier d'importants projets de cédéroms et de livres, dont une importante encyclopédie visuelle des sports. Pendant ce temps-là, Caroline produit un

Encyclopédie visuelle
des sports

QUÉBEC AMÉRIQUE

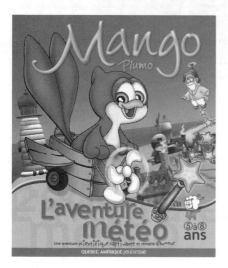

Mango
Plumo

L'aventure
météo

5 à 8 ans

Une aventure scientifique captivante et remplie d'humour

QUÉBEC AMÉRIQUE jeunesse

Sports
olympiques d'été

CÉDÉROM MAC • WINDOWS

Encyclopédie multimédia

QUÉBEC AMÉRIQUE

premier cédérom ludo-éducatif, appelé *Mango*, qui s'adresse aux jeunes de quatre à huit ans. Nous travaillons intensément à consolider notre infrastructure pour assurer le développement de contenus de référence multimédias (texte, son, image, animation) destinés à être exploités sur tous les supports (Internet, cédérom, télévision et imprimé). Évidemment, la diffusion prévue couvre non seulement le Québec, mais aussi l'ensemble des marchés étrangers. C'est le défi et la mission du Groupe Québec Amérique, parallèlement à l'objectif que nous maintenons de demeurer, au Québec, un éditeur majeur en littérature.

Pour atteindre nos nouvelles cibles, nous avons créé deux nouvelles filiales dont Québec Amérique Multimédia inc., entièrement consacrée au développement et à la production de cédéroms, et Québec Amérique Internet inc., dont les activités seront entièrement reliées à la commercialisation et à la diffusion de nos contenus sur l'Internet. François préside ces deux nouvelles sociétés qui vont se développer dans le sillage de la nouvelle économie.

Un mot enfin sur les défis qui attendent François et son équipe. Le marché international qui est toujours sensible aux fluctuations économiques demeure par définition instable et imprévisible. Il nous faut donc trouver une stratégie et des projets qui puissent nous garantir une rentabilité à court terme. Même si le livre est et restera un véhicule privilégié pour avoir accès à des contenus d'information, l'évolution rapide des technologies et la place que prend et que prendra l'Internet nous obligent à tout repenser afin de nous adapter constamment. De toute manière, je pense que la décision de produire tous nos contenus en fonction du multimédia va de soi.

Voilà notre réalité actuelle.

Conclusion

« Que la littérature québécoise soit en général peu lue ne constituerait pas un problème non plus ? Et pourquoi souffre-t-elle d'un préjugé défavorable au départ ? L'écrivain québécois se demande légitimement pour qui il écrit et pourquoi il écrit. J'essaie de comprendre ce qui, dans la tradition littéraire québécoise, nous a conduits dans ce cul-de-sac. Car il est vrai que la littérature québécoise rejoint mal son public, mais la faute peut difficilement en être imputée au public lui-même ; ne devrait-on pas alors se tourner plutôt du côté de l'institution ? »

(Noël Audet dans *Écrire de la fiction au Québec*)

Quelle conclusion faut-il tirer de ces 25 ans de métier ? Le parcours de ma maison d'édition a été marqué à la fois par le goût du risque, un désir profond de réussir et la passion du livre. L'évolution de mon entreprise et les résultats obtenus, après toutes ces années, me permettent de dresser, je crois, un bilan honorable. J'en suis fier et reconnaissant envers tous ceux et celles qui m'ont aidé à faire de Québec Amérique une entreprise moderne. J'ai donc tenté de raconter mon histoire et celle de ma maison avec le plus de justesse possible. Je n'ai pas voulu ici être désagréable mais simplement direct et vrai. Vous comprendrez aussi que si j'ai souvent vanté les livres publiés et leurs auteurs, c'est que justement je les aimais : sinon, je ne les aurais pas publiés. En guise de conclusion, je rappellerai quelques-unes de mes idées fondamentales sur la profession et surtout sur le métier tel qu'on peut le pratiquer au Québec et dans le monde aujourd'hui. Sans oublier la dimension familiale de la maison.

Sur le métier : les joies et les risques

L'édition constitue un domaine où nos gestes sont souvent guidés par l'enthousiasme et les coups de cœur, notamment en littérature où l'intérêt qu'on porte aux œuvres est rarement relié au profit espéré. Les choix de l'éditeur littéraire sont aussi commandés par une volonté de contribuer à créer un fonds d'édition national en publiant de grands textes. Dans un marché restreint comme celui du Québec, le déficit menace souvent l'éditeur ; c'est pourquoi l'aide gouvernementale demeure malgré tout incontournable. Afin de ne pas être entièrement dépendant de l'aide de l'État pour exercer mon métier, j'ai privilégié une production diversifiée où se côtoient romans, essais et ouvrages de référence, et qui puisse rejoindre divers lectorats tout en recherchant un rendement financier intéressant.

Dans ce monde de l'édition où l'argent a souvent mauvaise odeur, parler de profits devient suspect, mais pour moi la rentabilité a toujours été un souci constant. J'ai vécu il y a 20 ans une expérience difficile avec un banquier qui ne comprenait absolument rien au milieu du livre et de l'édition. Depuis, j'ai géré mon entreprise en évitant de recourir à du financement extérieur. Pour arriver à cet autofinancement permanent, une chose importait : vendre. Au-delà du flair et de l'intuition dans le choix des manuscrits, toutes mes énergies étaient concentrées sur la vente et la rentabilité. Les problèmes financiers viennent quand les ventes ne sont pas au rendez-vous, quand les dépenses dépassent les revenus. C'est une philosophie simple qui m'a toujours guidé et qui a toujours fait ses preuves.

L'ambition m'a également poussé à déborder nos frontières. Le marché international était la voie à suivre. Cette volonté découlait également de mon désir de donner à mes auteurs et à mes projets la meilleure diffusion et la meilleure visibilité possibles.

Comment préjuger du succès d'un livre ? Bien sûr le flair, mais encore ? Avec le recul, il est bien facile de porter des jugements. Après 25 ans dans ce métier, je peux affirmer une chose : on ne sait jamais rien du sort d'un livre. L'édition est un métier où rien n'est acquis à l'avance. Je préfère vivre cette insécurité et jouer de prudence, plutôt que de me laisser porter par un enthousiasme ou un trop grand optimisme qui risquent souvent de provoquer des déceptions et des résultats financiers désolants. Mais l'éditeur prudent n'hésitera pas à prendre des risques s'il a une vision, une perception correcte du marché. Le succès passe nécessairement par une édition innovatrice, mais il faut, en plus de l'audace et de la passion du métier, avoir du jugement et agir avec rationalité.

On ne se rend pas compte, de l'extérieur, de l'énorme travail que requiert la mise au monde d'un livre. Pour l'auteur, le livre n'est en aucune façon une marchandise : c'est un bien unique souvent engendré dans la douleur, dans l'angoisse et le question- nement. Pour l'éditeur, c'est toujours une aventure, mais surtout un pari commercial comportant une sanction financière. C'est un investissement considérable en énergie, en écoute de l'auteur, en conseils. Notre métier est exigeant mais fascinant et riche en relations humaines. Encourager la création reste la plus noble de nos tâches.

Pour ce qui est du rapport auteur-éditeur, si riche, on a sans doute déjà tout dit ou écrit là-dessus, mais je dois pour ma part mentionner que si les auteurs ont en général beaucoup de talent pour défendre leur œuvre, ils ont presque toujours une perception démesurée de la carrière qui l'attend. C'est connu dans le milieu : si un livre connaît le succès, c'est à cause de l'auteur ; l'échec, lui, est toujours imputable à l'éditeur.

L'ÉDITION QUÉBÉCOISE MÉPRISÉE : UN CONSTAT

L'édition au Québec a fait des progrès considérables depuis 30 ans. On peut parler maintenant d'une industrie mature. Nos éditeurs sont de plus en plus professionnels et expérimentés. Il y a maintenant au Québec des auteurs qui occupent une place impor- tante dans le paysage littéraire et plusieurs sont connus à l'étranger. Sur ce point, nous n'avons rien à envier à d'autres pays de même taille. Le niveau d'efficacité atteint par les éditeurs l'a été grâce à des centaines d'auteurs talentueux et aussi grâce à une belle complicité des libraires. Pourtant, il y a une ombre au tableau.

Nos médias écrits et électroniques continuent d'afficher une image colonisée, de plus en plus insupportable. Je l'ai dit dans les chapitres précédents, mais j'y reviens car la situation s'est détériorée au cours des dernières années. Tout simplement parce que la recension du livre étranger écrase la nôtre par son poids démesuré, rendant ridicule la visibilité de nos publications.

Alain Stanké a analysé la situation de façon exemplaire dans un article publié dans le journal *La Presse*, le 26 juin 1994. Il parlait de la seule émission littéraire à Radio Québec qui illustre bien, en même temps, le comportement plutôt paradoxal de nos médias. Il disait :

> *Sur la liste des ouvrages suggérés au cours des 14 dernières [émissions], j'ai tout de même noté 24 titres français et trois québécois. Que Radio Québec ressente la majorité du temps des coups de cœur pour des livres venant de France, c'est son affaire. La mécanique des passions est parfois plus forte que la raison. Je les aime, moi aussi. Mais qu'on les étale en aussi grand nombre au petit écran, au détriment des écrits québécois, sans même se douter de l'offense que l'on fait à l'industrie du livre d'ici, cela devrait être la nôtre. Chaque semaine qui passe ressemble à la précédente. Il suffit de consulter les annonces publicitaires précédant la diffusion : le 27 mars dernier (1994), sur huit ouvrages présentés à l'émission, on comptait un québécois. Le 3 avril, sur six livres, les six venaient de France. Le 8 mai, quatre sur quatre français. Le 22 mai, sept sur sept français. Le 29 mai, c'était le bouquet : sur 18 titres, 17 nous venaient de France. Je parie qu'on aura droit aux reprises cet été. Pour les masos. »*

Comme Stanké, je n'ai rien, bien sûr, contre la littérature française, encore moins contre sa visibilité ou ses éditeurs. Nous avons la chance d'avoir accès à un fonds littéraire d'une grande richesse. La France a une grande tradition du livre et l'édition française représente une industrie importante toujours très ouverte à la littérature étrangère. Cela dit, la concurrence existe, venant surtout de France, mais nous sommes, par notre complaisance, notre insouciance et notre manque de dynamisme, les seuls responsables de notre situation déplorable.

Et cette littérature française, c'est le moins qu'on puisse dire, ne connaît aucun problème de diffusion et de visibilité au Québec. Les grands éditeurs contrôlent des structures de distribution et de diffusion que la plupart des éditeurs québécois ne peuvent se permettre. De plus, le livre français est largement soutenu par une presse locale souvent complaisante. J'ai du mal à comprendre cette logique, car, justement, le lecteur québécois est déjà bien informé par la presse française avec ses journaux, ses magazines et TV5. Nos médias locaux reprennent ces critiques et recensions pour remplir leurs pages ou préparer leurs émissions. Ce comportement à la fois assez étrange et redondant laisse peu de place à la littérature et aux livres québécois. Ce n'est pas le fait de parler des livres publiés en France qui est grave; ce qui l'est, c'est l'outrance dans la couverture de l'activité éditoriale française par rapport à la production d'ici. Je ne connais pas un pays au monde qui ressent un tel dédain ou honte de sa littérature et de ses auteurs.

Ce comportement montre un mépris de notre propre culture et met en lumière un fort complexe d'infériorité. Cette attitude condescendante envers notre production littéraire cache de l'ignorance et une certaine incompétence. On tente alors de se valoriser en faisant français. On aime la littérature des autres trop souvent par snobisme. Il me semble que nos médias devraient faire comme dans tous les autres pays : parler d'abord de ce qui se publie chez nous.

Tous les sondages réalisés en France démontrent l'importance de la presse écrite et électronique dans le succès et la carrière d'un livre. Si nous avions le même traitement que celui qu'obtient le livre français en France et même ici, notre édition se porterait mieux. Si nous pouvions convaincre les milieux de l'enseignement de l'importance et de la richesse de nos fonds littéraires, nous pourrions former des lecteurs intéressés par ce qui s'écrit ici. Autrement, impossible de parler des grands classiques de notre littérature… les Ferron, Aquin, Bessette, LaRocque et autres continueront d'être pour beaucoup de jeunes de parfaits inconnus.

Je suis préoccupé du traitement qu'on accorde à notre édition depuis toujours et je suis étonné de voir l'attitude amorphe du milieu (éditeurs et auteurs), sans parler de l'abdication de notre ministère de l'Éducation nationale. Quelques éditeurs seulement ont osé dénoncer cette situation, les autres restent silencieux. Les auteurs affichent un mutisme inexplicable alors que l'association des éditeurs porte peu d'intérêt à ce problème, parce qu'ils se sentent en sécurité, accrochés qu'ils sont probablement aux mamelles de l'État. Il y a là un défaitisme et un manque manifeste de fierté qui m'étonnent au plus haut point. Le réseau des libraires reflète, d'une certaine façon, la vitrine que proposent nos médias colonisés. Même si les éditeurs québécois ont beaucoup gagné en visibilité, la présence du livre québécois en librairie est loin d'être proportionnelle à son importance économique. Nous occupons à peine 15 % de l'espace alors que nous représentons plus de 40 % du chiffre d'affaires des librairies. C'est pourquoi l'éditeur québécois subit toujours un choc lorsqu'il les visite.

Mais nous sommes très préoccupés par l'exportation. Des millions ont été engloutis pour la diffusion de nos livres, en France particulièrement. Résultat : échec à chaque opération. Même la dernière en date, celle du printemps 1999, n'aura pas eu l'effet escompté. Les livres qu'on avait placés en librairie pour l'événement sont revenus, comme il fallait s'y attendre. Comment réussir des opérations d'exportation, quand ici même au Québec nos livres se retrouvent dans une situation minoritaire et souffrent d'une carence de diffusion et de visibilité ? Il faudrait d'abord commencer par occuper notre propre territoire avant de vouloir introduire en France une production qui a déjà bien du mal à s'imposer ici. En serions-nous rendus à souhaiter, comme le suggérait ironiquement mon éditrice jeunesse, Anne-Marie Villeneuve, la création d'une librairie du Québec à Montréal ?

L'AVENIR

Après un tel constat, il faut bien admettre que l'édition au Québec demeure une activité fragile. Obligée de se battre sur un marché étroit contre la concurrence d'entreprises d'éditions françaises pas toujours loyales, l'édition québécoise tente difficilement de se tailler une place. Tous les efforts et les risques financiers que représente la création d'un catalogue littéraire profitent à l'éditeur français, qui n'hésite pas à faire du maraudage auprès de nos auteurs-vedettes pour les publier sur notre propre territoire tout en prétendant les faire connaître en France. Quand ce n'est pas l'auteur lui-même qui va se vendre à l'éditeur français, en acceptant souvent des conditions inférieures et sachant que sa carrière en France sera négligeable. Certains auteurs m'étonnent beaucoup par leur naïveté ou leur vanité. Y aurait-il quelque chose comme un syndrome français chez certains écrivains comme chez certains journalistes? Les plus grands succès de nos auteurs en France (Yves Beauchemin et Arlette Cousture) ont été rendus possibles par la coédition, la voie la plus naturelle.

Quelle sera la situation de l'édition littéraire au Québec dans cinq ou dix ans? Il m'apparaît évident que l'éditeur québécois devra se rapprocher davantage du marché et profiter des nouvelles technologies pour rejoindre les lecteurs. Les changements dans les habitudes de consommation, la fragilité du réseau des librairies, la concurrence et les possibilités énormes qu'offre l'Internet vont grandement pousser l'éditeur à s'adapter, à innover.

Bien sûr, il faudra continuer à mettre beaucoup d'efforts pour faire connaître nos meilleurs livres à l'étranger. Il m'apparaît toutefois que la coédition avec territoires partagés reste le meilleur moyen pour diffuser nos auteurs et nos œuvres. Mais comment obtenir la collaboration des éditeurs français si ceux-ci, ne voulant prendre aucun risque, font miroiter à nos auteurs à succès leur présence en France pour mieux les distribuer au Québec? C'est pourquoi il est si important que nos relations avec la France cessent d'être à sens unique. En même temps, cette situation montre à quel point il est urgent et essentiel pour l'édition québécoise d'occuper une place dominante sur son propre marché.

La fabrication du livre, depuis Gutenberg, n'a cessé de connaître des progrès. Le mariage de l'Internet et de l'impression numérique sur demande va donner un accès virtuel au livre difficilement accessible dans sa forme traditionnelle. Le commerce du livre tel qu'on le connaît est devenu anachronique. C'est sûrement la dernière économie au monde où l'on ne fait que de l'offre : on produit sans savoir combien on va en vendre et on entrepose pour ensuite détruire. Or l'Internet va permettre de vendre avant de produire. L'éditeur est donc confronté à des changements technologiques importants, à de nouvelles formes de diffusion de ses ouvrages et à des changements profonds dans les habitudes d'achat. Dans ce contexte, rejoindre le lecteur demande une nouvelle approche, ce qui entraîne des changements importants dans toutes les facettes du métier : la survie est à ce prix. Voilà le défi de l'éditeur d'aujourd'hui.

UNE ENTREPRISE FAMILIALE

Mes enfants se sont associés à l'entreprise tout naturellement. Même mon épouse, Gisèle, a travaillé au service des ventes pendant plusieurs années. C'est devenu rapidement une affaire de famille. Aujourd'hui, François a déjà presque 15 ans de métier et Caroline s'est jointe au personnel permanent il y a maintenant près de 10 ans. François dirige la division internationale depuis sa création en 1989. Quant à Caroline, elle a été responsable de la production, puis directrice artistique avant d'assurer la direction de la section jeunesse de l'international.

La relève est là. Comment va-t-elle réussir la transition alors que les statistiques sont effarantes : 70 % des entreprises familiales ne survivent pas jusqu'à la deuxième génération et 90 % jusqu'à la troisième ? C'est pourquoi ma retraite partielle sera consacrée à donner, par mes conseils, tout le soutien possible à mes enfants afin d'assurer la survie de l'entreprise. De nombreux défis les

Québec Amérique, une affaire de famille !

attendent avec un marché international instable et imprévisible. Ils devront continuellement rechercher l'excellence avec un souci constant de productivité, d'efficacité et de rentabilité. Québec Amérique s'est bâti avec les années un fonds d'édition bien équilibré avec des contenus multimédias qui connaissent du succès sur les cinq continents. Mes enfants savent que pour garantir l'avenir, il leur faut garder cet élément de continuité, d'identité et de dynamisme. Ils sont conscients que les nouveaux modèles de gestion requièrent des structures plus souples, une meilleure communication, un meilleur leadership et une approche qui repose essentiellement sur la coopération, l'engagement, l'efficacité et la motivation des employés. Ils devront être constamment créatifs dans leur planification comme dans leur gestion quotidienne et accepter que leur contrôle sur l'entreprise soit moins obsessif. Le changement est devenu perpétuel avec la mondialisation des marchés et la concurrence de plus en plus forte. Aussi faut-il développer un sens de l'urgence avec des produits dont la durée de vie a tendance à diminuer. Il faut donc que les projets se réalisent plus rapidement qu'auparavant. Une entreprise, surtout si elle est culturelle, doit regarder dans toutes les directions pour jauger les changements et scruter les marchés en ayant toujours l'œil sur les concurrents.

Je trouve évidemment difficile de parler de succession, avec tous les changements importants que cela comporte. Je vis une période où les sentiments et les émotions viennent rendre certaines décisions plus délicates. Mais pour moi, c'est d'abord le bonheur, le succès et l'avenir de mes enfants qui m'importent. L'entreprise compte beaucoup pour eux, j'entrevois les prochaines années avec optimisme : ils ont la volonté de réussir et la passion d'imaginer de nouveaux projets.

* * *

Au moment de mettre un point final au présent récit, je vois que ma femme Gisèle me fait signe : nous avons un appel de nos deux petits-fils. Grégory nous demande de revenir le plus tôt possible avec la promesse de mille câlins et Thomas me dit pour la première fois : « Papy, je t'aime. »

Jacques Fortin
Plantation (Floride) le 21 avril 2000
jfortin@quebec-amerique.com

Liste des noms cités

A

Allard, Jacques
Allard-Lacerte, Rolande
Allende, Isabel
Angélil, René
Archambault, Ariane
Arsenault, Madeleine
Assathiany, Pascal
Aubin, Anne-Marie
Audet, Noël
Audouard, Antoine

B

Back, Frédéric
Balthazar, Louis
Barfoot, Joan
Bastien, André
Beauchemin, Jean-François
Beauchemin, Yves
Beaudin, Jean
Beaudoin, Raymond
Beaulieu, Alain
Beaulieu, Victor-Lévy
Beaunoyer, Jean
Béland, Claude
Bellefeuille, Normand de
Bennett, Avie
Berger, Yves
Bernard, Louis
Bessette, Gérard
Billon, Pierre
Biron, Rodrigue
Black, Conrad
Blondeau, Dominique
Boivin, Jean-Rock
Bonnier, Yves
Borzeix, Jean-Marie
Boucher, Andrée

Bougé, Réjane
Boulet, Tania
Bourassa, Robert
Bourguignon, Stéphane
Bourneuf, Denise
Bourque, Jean-Jacques
Brasset, Doris
Brazeau, Renée-Claude
Broquet, Marcel
Brouillard, Marcel
Brunet, Claude
Brunet, Mathias

C

Carignan, Raymond
Cayouette, Pierre
Chandernagor, Françoise
Chartrand, Robert
Choquette, Claude
Chrétien, Jean
Cliche, Robert
Cohen, Matt
Comeau, Paul-André
Constantin, Jacques
Corbeil, Jean-Claude
Corbeil, Michel
Côté, Corinne
Courville, Léon
Cousture, Arlette

D

D'Amico, Serge
Davies, Robertson
Demers, Dominique
Demers, Rock
Denis, Charles
Déri, Thomas
Désalliers, François

Deschamps, Yvon
Desmarais, Paul
Dorion, Gilles
Doucet, Nelson
Dubé, Yves
Duchesne, Christiane
Dumais, Odile
Dupuis, Roy
Durand, Pauline
Dion, Céline

E
Eiger, Richard
Epsteins, Howard

F
Fallois, Bernard de
Ferron, Jacques
Finkielkraut, Alain
Fisher, Marc
Fixot, Bernard
Forcillo, Gaétan
Fortin, Caroline
Fortin, François
Fortin, Gisèle
Fortin, Marie-Claude
Fournier, Claude
Fournier, Jean-Pierre
Fournier, Roger
Fugère, Jean

G
Gagné, Jean-Pierre
Gagnier, Marie
Gagnon, Alain-G.
Gagnon, Cécile
Gagnon, Lysiane
Gaudet, Gérald
Gauthier, Bertrand
Gauthier, Michel
Gendron, Marc
Germain, Georges-Hébert

Germain, Marie-Claude
Gersgrasser, Walter
Godbout, Jacques
Godin, Pierre
Goodwin, Nathalie
Gosselin, Jean-Claude
Gravel, François
Grégoire, Jacques
Grenier, Roger

H
Hamelin, Louis
Hébert, François
Hero, Alfred O.
Héroux, Denis

J
Jacques, Pierre
Joseph, Andréa
Jobin, François
Jean, Nathalie

K
Knapman, Ed
Kattan, Naïm
Kay, Guy Gabriel
Kermoyan, Ara
Kerouac, Jack
Kissinger, Henry

L
Lachance, Micheline
Laferrière, Dany
Laffont, Robert
Lamoureux, Jean-Denis
Landry, Bernard
Landry, Roger D.
Languirand, Yolande
Lapierre, Laurent
LaRocque, Gilbert
Larouche, Daniel
LaRue, Monique

Laurier, Marie
Laurin, Michel
LeBourhis, Jean-Paul
Leclerc, Félix
Léger, Marcel
Legrand, Pierre
Lelièvre, Sylvain
Lemelin, Roger
Lespérance, Pierre
Lévesque, René
Lévy, Bernard-Henri
Lelord, François

M
Mailhot, Evelyn
Mailhot, Nicole
Major, André
Mallet, Marilù
Marcellin, Diane
Marineau, Michèle
Marois, Carmen
Martel, Réginald
Martin, Diane
Maxwell, Kevin
Messier, Monique
Michalska, Madeleine O.
Michaud, Liliane
Michon, Jacques
Michot, Fabienne
Micone, Marco
Mintzberg, Henry
Miron, Gaston
Mistral, Christian
Mittérand, Henri
Mongeau, Serge
Montgomery, Lucy Maud
Moreau, Alain
Morissette, Jocelyne
Morissette, Paul
Munro, Alice

N
Nicosia, Gérard

Noël, Jean-Guy

O
Oates, Joyce Carol
Ohl, Paul
Orsini, Marina
Oughton, Libby

P
Paré, André
Paré, Jean
Parizeau, Alice
Parizeau, Jacques
Parrot, Johanne
Patenaude, Léon J.-Z.
Patenaude, Robert
Payette, Daniel
Payette, Lise
Pean, Stanley
Péladeau, Pierre
Pettigrew, Jean
Pitcher, Patricia
Pivot, Bernard
Plante, Raymond
Podesto, Martine
Poitras, Anique
Poliquin, Daniel
Porter, Anna
Proulx, Monique
Pupier, Paul

Q
Quinson, Bruno

R
Rémillard, Gil
Reno, Ginette
Richard, Clément
Richard, Lorraine
Richard, Michèle
Richer, Isabel
Rioux, Hélène

Roberge, Luc
Robert, Véronique
Robin, Daniel
Robitaille, Antoine
Rosen, Bill
Rouy, Maryse
Roy, Gabrielle
Roy, Marie-Anna

S
Sansoucy, Diane
Saucier, Claude
Saurel, Pierre
Servant, Jean-Pierre
Smart, Patricia
Smith, Donald
Snyder, Julie
Stanké, Alain

T
Thatcher, Margaret
Thériault, Marie-José
Tibo, Gilles
Tisseyre, Pierre

Tougas, Gérald
Tremblay, Mario
Tremblay, Miville
Tremblay, Réjean
Truand, André
Trudeau, Anne-Marie
Turgeon, Élaine
Tyler, Anne

V
Vac, Bertrand
Vaillancourt, Chantal
Vaillancourt, Isabel
Vallières, Pierre
Vanarburg, Élisabeth
Vanasse, André
Venne, Michel
Villeneuve, Anne-Marie
Villeneuve, Claude
Villers, Marie-Éva de

Z
Zaleznik, Abraham

SOMMAIRE

Première partie : 1974-1979
LES COMMENCEMENTS

Deuxième partie : 1980-1985
LE GRAND DÉCOLLAGE

Troisième partie : 1985-1990
DES SUCCÈS INÉGALÉS

Quatrième partie : 1990-1995
CAP SUR LE MONDE

Cinquième partie : 1995-2000
AU TEMPS DU MULTIMÉDIA ET DE L'INTERNET, LE LIVRE RESTE INDISPENSABLE

Conclusion

Transcontinental
IMPRESSION
IMPRIMERIE GAGNÉ

IMPRIMÉ AU CANADA